RÉGIONALISATION ET DÉVELOPPEMENT TERRITORIAL AU MAROC

Les Afriques de demain

Collection dirigée par Driss Guerraoui et Alioune Sall

La collection « Les Afriques de demain » vise à promouvoir les publications axées sur l'analyse des transformations que connait l'Afrique pour en dégager les inflexions majeures et les ruptures fondamentales, identifier les facteurs et les acteurs du changement, et mettre en exergue la prospective des stratégies de développement pouvant permettre aux États et aux peuples du continent de lutter contre les nouvelles générations d'insécurité, de risques et de guerres.

Le champ d'action de la collection englobe les questions économiques, sociétales et géostratégiques, les sciences politiques, l'histoire et les problématiques de nature culturelle et civilisationnelle.

Déjà parus

Driss Guerraoui, *Comprendre le monde nouveau. Regard africain*, 2025.

Claudio Ruff, *Histoire, culture et avenir de l'Afrique*, 2025.

Benyounes Rahouti, *L'intelligence économique dans un monde VUCA*. Incertitude et insécurité des organisations, 2024.

Driss Guerraoui (dir.), *L'intelligence économique en Afrique et dans le monde. État des lieux et nouveaux champs, 2024.*

Vidal I. Ibarra-Puig, *Les relations économiques entre l'Afrique, l'Amérique latine et les Caraïbes. Histoire récente et perspectives dans un monde en crise*, 2024.

Xavier Aurégan et Thierry Pairault (dir.), *L'Afrique et ses présences chinoises*, 2024.

Driss Guerraoui, *L'enseignement et la recherche en sciences économiques dans les universités publiques marocaines*, 2024.

Driss Guerraoui (dir.), *L'Afrique de l'innovation. Politiques nationales et partenariats panafricains*, 2023.

Driss Guerraoui (dir.), *Marocains et Portugais. Regards croisés*, 2023.

Omar Benida

RÉGIONALISATION ET DÉVELOPPEMENT TERRITORIAL AU MAROC

Préface de Driss Guerraoui

الجامعة المفتوحة للداخلة
UNIVERSITÉ OUVERTE DE DAKHLA

L'Harmattan

5-7, rue de l'École-Polytechnique - 75005 Paris
www.editions-harmattan.fr
ISBN : 978-2-336-58103-3
EAN : 9782336581033
Dépôt legal : janvier 2026

L'Université Ouverte de Dakhla, 2026
https://www.uodakhla.org
Dépôt légal : 2025MO5854
ISBN : 978-9920-9416-2-4

REMERCIEMENTS

Cet ouvrage est le produit d'une thèse de doctorat, dont la réalisation n'aurait été possible sans le soutien précieux du Pr Khalil Allali de l'École Nationale d'Agriculture de Meknès, directeur de thèse, ainsi que des membres du comité de thèse, du Dr Hassan Ramou de l'Université Mohammed V de Rabat et du Dr Aziz Fadlaoui de l'Institut National de la Recherche Agronomique de Meknès, que je remercie sincèrement pour leurs conseils, leur disponibilité et leurs encouragements.

Je tiens à exprimer ma profonde gratitude et mes sincères remerciements aux rapporteurs, Pr Driss Sqalli Adoui et Pr Zoubir Chattou de l'École Nationale d'Agriculture de Meknès, ainsi qu'au Pr Mhammed Echkoundi de l'Université Mohammed V de Rabat, pour l'honneur qu'ils m'ont fait en acceptant d'évaluer ce travail. Leurs suggestions judicieuses et leurs observations pertinentes ont largement contribué à l'enrichir. J'adresse également une reconnaissance particulière au Pr Larbi Aziz de l'École Nationale d'Agriculture de Meknès pour l'examen attentif de cette recherche scientifique.

Mes remerciements les plus sincères s'adressent au Pr Driss Guerraoui, Membre de l'Académie du Royaume du Maroc, Président de l'Université Ouverte de Dakhla pour son appui précieux et la richesse de ses conseils éclairés, ainsi que pour avoir bien voulu préfacer le présent travail.

Je tiens, également, à exprimer ma profonde reconnaissance à mes collègues et à ma famille pour leur appui indéfectible tout au long de ce parcours. Espérant bien que cette contribution, issue de plusieurs années de recherches, pourra alimenter la réflexion des chercheurs, des étudiants, des décideurs et de tous ceux qui s'intéressent aux dynamiques territoriales.

PRÉFACE

Driss Guerraoui
Président de l'Université Ouverte de Dakhla et du Forum des Associations Africaines d'Intelligence Économique

Après dix années de l'entrée en vigueur effective depuis septembre 2015 de la grande réforme de l'État, qu'est la régionalisation avancée, la question du découpage territorial continue à faire débat au Maroc. Car avec l'évolution du développement des douze régions, tous les paramètres ont changé. La démographie, certes, mais aussi et surtout les conditions sociales des populations, la sociologie du comportement des acteurs, l'état des équilibres écologiques, des infrastructures et des activités économiques ainsi que les rapports des régions avec leurs environnements extérieurs.

L'évolution de ces paramètres produits des impacts en termes d'inégalités territoriales, sociales numériques et de genre, de même que sur l'aménagement du territoire dans son ensemble, et corrélativement sur la croissance économique et la contribution des régions à la production des richesses à l'échelle nationale.

Par ailleurs, bien que la Constitution dans son article 143 confère aux régions une prééminence par rapport aux autres collectivités territoriales en matière d'élaboration et de suivi des Programmes de Développement Régionaux (PDR) et des Schémas Régionaux d'Aménagement des Territoires (SRAT), tout en respectant les compétences propres de chaque collectivité territoriale, le développement économique régional demeure confronté à des défis majeurs, exacerbant les disparités intra, mais aussi interrégionales.

Aussi paradoxale que cela puisse paraitre, ces disparités offrent une opportunité pour s'interroger, notamment sur les paramètres les plus déterminants à adopter pour une délimitation appropriée des nouvelles des régions. Cette réflexion est d'autant plus cruciale que le choix de ces paramètres impacte directement la capacité des régions à atteindre une croissance économique optimale et inclusive et un développement harmonieux et durable.

C'est dans cette perspective que s'inscrit l'ouvrage de Omar Benida. Son objectif principal est d'apporter une réponse pertinente à la question suivante : quelles sont les variables à prendre en considération dans la détermination d'une taille économique optimale minimale d'une région ?

Pour répondre à cette importante question, l'auteur adopte une méthodologie originale fondée sur une démarche déductive mixte combinant deux démarches complémentaires. La première, qualitative, se concentre sur l'analyse des dimensions démographiques et environnementales. La seconde, quantitative, vise à mesurer la convergence économique et à définir la taille économique optimale minimale des régions. Cette approche s'appuie sur l'analyse descriptive des données statistiques et cartographiques, sur une modélisation économétrique pour l'estimation de la σ convergence et la β-convergence, ainsi que sur la modélisation prédictive basée sur l'apprentissage profond (Deep Learning). À ce niveau, l'auteur a utilisé le modèle Multi-Layer Perceptron (MLP) pour affiner la détermination de la taille économique optimale minimale des régions.

Cette démarche intégrée tente, in fine, de fournir des résultats susceptibles d'éclairer les décideurs et les élus, au niveau central et local sur les processus futurs de découpage régional à privilégier, ainsi que sur les modalités les plus appropriées à l'élaboration de politiques publiques cohérentes de développement territorial.

Toute l'analyse menée par l'auteur et l'argumentation utilisée sont portées par une modélisation poussée visant à élaborer des scénarios du futur de la régionalisation et de du développement territorial au Maroc. Le scénario d'une optimisation sans contraintes conduisant à l'unification du PIB des douze régions du pays au regard de leurs contributions respectives dans le PIB national et une simulation basée sur les orientations du Nouveau Modèle de Développement. Ce qui a conduit l'auteur à proposer deux scénarios possibles :

- Le premier scénario estime que toutes les régions connaîtront une croissance égale équitable et enregistreront ainsi la même croissance moyenne annuelle de 6 % à l'horizon 2035 ;
- Le deuxième scénario envisage, quant à lui, que les régions contribuent d'une manière disproportionnée pour atteindre la croissance annuelle nationale moyenne de 6 % d'ici 2035.

Si l'apport de Omar Benida et sa connaissance à la fois théorique et pratique de la problématique du développement territorial et son expérience avérée dans ce domaine sont indéniables, l'analyse qu'il propose dans le présent ouvrage pêche, cependant, par un excès de modélisation économétrique, ainsi que par un déséquilibre entre l'analyse qualitative, la démarche explicative, d'un côté et l'approche empirique, de l'autre. Cette démarche, malgré son intérêt et son utilité, aurait pu être circonscrite si l'auteur a soumis l'expérience de la régionalisation avancée menée par le Maroc depuis 10 années durant à une évaluation critique, relevant les avancées, mettant en exergue les points faibles et identifiant les défis majeurs. Celle-ci aurait pu lui offrir des éléments pertinents pour construire une prospective raisonnée de ce que doivent être les contours d'un découpage régional futur et les cadres territoriaux qui en découlent, indispensables pour un développement territorial en phase avec les nouvelles ambitions du « Maroc des régions » du XXIe siècle.

INTRODUCTION GÉNÉRALE

Dans de nombreux pays, l'organisation territoriale des États connaît des mutations profondes. La régionalisation, en tant que processus de décentralisation du pouvoir, s'impose de plus en plus comme une réponse aux exigences de proximité, de gouvernance partagée et de développement territorial. Elle ne suit toutefois aucun modèle universel : chaque pays élabore son propre découpage régional selon ses réalités économiques, sociales, géographiques et historiques. L'Espagne, par exemple, a connu cinq réformes majeures en quarante ans (CESE, 2016), tandis que la France en est à sa quatrième génération de décentralisation depuis 1982. Au Chili, les régions ont été institutionnalisées dès les années 1970 (Gutiérrez Ruiz, 2012).

Le Maroc n'échappe pas à cette dynamique. Depuis l'indépendance, son organisation territoriale a connu plusieurs vagues de réformes, traduisant une volonté continue de décentralisation du pouvoir. Trois grands découpages régionaux ont marqué cette évolution : celui de 1971, d'inspiration économique, divisa le pays en sept régions dites économiques ; celui de 1997 introduisit seize régions à vocation principalement administrative (Berriane, 2015) ; enfin, celui de 2015 institua douze régions dans le cadre d'une réforme plus ambitieuse, inscrite dans la nouvelle Constitution de 2011 et orientée vers une régionalisation avancée.

Ce dernier découpage s'est accompagné de lois organiques[1] des collectivités territoriales, conférant aux régions davantage de responsabilités en matière de développement économique, social, culturel et environnemental. L'ambition affichée était claire : construire un État plus efficace, rapprocher la décision publique des citoyens, renforcer la démocratie locale et impulser un développement équilibré sur l'ensemble du territoire national.

Pourtant, dix ans après cet élan, les résultats restent contrastés. Les inégalités entre régions persistent, voire s'accentuent. Le Haut-Commissariat au Plan (HCP, 2021) a révélé que trois régions, Casablanca-Settat, Rabat-Salé-Kénitra, et Tanger-Tétouan-Al Hoceima, concentrent plus de 58 % du PIB national, tandis que les neuf autres se partagent moins de 42 %. Cinq régions ont généré un tiers (33,5 %) du PIB : la région de Fès-Meknès avec 8,2 %, la région de Marrakech-Safi avec 7,9 %, la région de Souss-Massa avec 6,2 %, de Béni Mellal-Khénifra avec 5,9 % et de l'Oriental avec 5,3 %. Les régions du Sud et Drâa-Tafilalet, qui couvrent pourtant près de la moitié de la superficie du pays, ne contribuent ensemble qu'à 7,7 % du PIB national.

Ces déséquilibres trouvent en partie leur origine dans l'histoire du pays, mais ils sont aussi alimentés par des choix politiques et économiques passés, ayant favorisé certaines zones au détriment d'autres. À cela s'ajoute une gouvernance territoriale encore en transition, marquée par une répartition inégale des ressources, un déficit de coordination entre les niveaux de décision, et une faible prise en compte des spécificités régionales dans le découpage.

---

1. La loi organique N° 111-14 relative aux régions, loi organique N° 112.14, relative aux préfectures et provinces et la loi organique N° 113-14 relative aux communes.

Les analyses récentes du CESE (2023), du Nouveau Modèle de Développement (CSMD, 2021), et de nombreux chercheurs (De Miras et al., 2022 ; Courlet & Kamal, 2022) convergent sur un constat : les conditions matérielles, humaines et institutionnelles ne sont pas encore réunies pour permettre aux régions de devenir de véritables moteurs de développement. Le découpage actuel, bien qu'ambitieux, ne parvient pas à répondre aux exigences d'équité, d'efficacité économique et de justice territoriale.

Dans ce contexte, un questionnement devient central : les variables utilisées pour délimiter les régions sont-elles les plus pertinentes pour promouvoir un développement équilibré et durable ? La problématique du « gabarit » ou de la taille économique optimale d'une région apparaît comme un enjeu fondamental. Car derrière le tracé des frontières régionales se jouent la redistribution des ressources, la gouvernance locale et la capacité à répondre aux besoins des populations.

Ce livre explore précisément cette problématique. Il s'interroge sur la pertinence des critères démographiques, environnementaux et économiques dans le découpage régional, et propose une démarche intégrée pour déterminer ce que pourrait être une taille économique optimale minimale d'une région. Pour répondre à cette question, deux approches complémentaires ont été adoptées :

- Une approche qualitative, qui examine les dimensions démographique et environnementale du découpage, à travers des analyses descriptives et cartographiques ;
- Une approche quantitative, fondée sur la mesure de la convergence économique régionale (σ-convergence et β-convergence), enrichie par des outils d'intelligence artificielle (modèle MLP) pour raisonner la taille économique optimale minimale d'une région.

Cet ouvrage s'inscrit dans une perspective de réflexion stratégique, à la croisée de l'économie régionale, de la géographie du développement et des politiques publiques. Il s'adresse aux chercheurs, aux décideurs et à tous les acteurs qui œuvrent à bâtir une régionalisation équitable, efficiente et porteuse d'avenir pour les territoires.

CHAPITRE 1
UNE RÉGIONALISATION EN DÉBAT : PROBLÉMATIQUE ET ENJEUX CONTEMPORAINS

1. Problématique de développement territorial

Depuis l'indépendance, le Maroc a engagé une série de réformes visant à rapprocher l'action publique des citoyens, dans un souci d'efficacité, de transparence et de développement territorial. La décentralisation s'est ainsi imposée comme un choix stratégique et irréversible, incarné par des mutations profondes dans l'organisation administrative du pays. Au cœur de ces mutations : la question du découpage régional, qui n'est pas une simple opération géographique ou administrative, mais un levier structurant de développement.

Les réformes successives, de la création des premières régions dans les années 1970 à l'instauration des 16 régions économiques en 1997, puis à la régionalisation avancée portée par la Constitution de 2011, témoignent d'une volonté croissante de doter les territoires d'une véritable autonomie et de capacités d'action renforcées. L'adoption de la loi organique n° 111-14 a marqué une étape décisive en conférant à la région des attributions étendues, une gouvernance démocratisée et une place de premier plan dans la planification territoriale.

Mais cette montée en puissance des régions s'est heurtée à plusieurs limites : lenteur de la déconcentration, complexité de la gouvernance locale, faiblesse des ressources financières et humaines, et surtout, un découpage régional parfois en décalage avec les réalités socio-économiques et territoriales.

De nombreuses critiques pointent un manque de cohérence dans les logiques de répartition spatiale, l'absence de critères objectifs partagés, et une faible prise en compte des spécificités locales, notamment en matière de population, de ressources naturelles et de dynamique économique.

Dans ce contexte, la réflexion sur un découpage plus pertinent, plus équilibré et plus porteur de convergence régionale s'impose. Elle appelle à dépasser une lecture strictement institutionnelle ou juridique de la région, pour intégrer des dimensions empiriques et structurelles capables de guider les choix futurs. La régionalisation avancée ne peut réussir sans une carte territoriale adaptée aux défis contemporains.

Ce livre s'inscrit dans cette ambition. Il s'appuie sur une démarche prospective, interdisciplinaire, et fortement ancrée dans la réalité marocaine. Il propose d'évaluer les critères susceptibles de fonder un découpage régional plus cohérent, en croisant trois dimensions fondamentales :

- La dimension démographique, car la répartition de la population conditionne les besoins, les charges et les capacités d'action des régions.
- La dimension environnementale, car les ressources naturelles constituent un capital stratégique pour l'attractivité et la durabilité des territoires.
- La dimension économique, à travers l'analyse de la convergence entre régions et la recherche d'une taille optimale minimale, économiquement viable.

La problématique centrale qui guide cet ouvrage peut être formulée ainsi : **Quels sont les critères les plus pertinents à prendre en compte dans la détermination de la taille économique optimale minimale d'une région ?**

À partir de cette question principale, quatre sous-interrogations structurent la réflexion :

1. Quels critères démographiques pourraient constituer des fondements empiriques pour améliorer la pertinence du découpage régional ?
2. Quelle place ont réellement occupée les ressources naturelles dans le découpage de 2015 ?
3. Dans quelle mesure ce découpage peut-il favoriser la convergence économique entre régions et atténuer les disparités territoriales ?
4. Comment modéliser une taille économique optimale minimale à partir de variables objectivables ?

En croisant des données qualitatives et quantitatives, cet ouvrage vise à outiller les décideurs et les chercheurs pour contribuer à une refonte plus juste, durable et fonctionnelle du territoire marocain.

Principales contributions sur la régionalisation et le découpage territorial au Maroc

Une approche sélective a été adoptée dans l'exploration des recherches et études concernant le découpage régional en lien avec la croissance économique et le développement des territoires. La sélection s'est concentrée sur les études pertinentes en rapport avec la problématique de recherche, notamment celles abordant globalement le découpage régional et la régionalisation.

À cet égard, force est de constater que de nombreux travaux de recherches ont analysé la régionalisation au Maroc sous différents angles historique, juridique, politique, économique et territorial. Ce qui suit propose une synthèse des principales contributions académiques et institutionnelles qui ont enrichi la réflexion sur la gouvernance territoriale et le découpage régional :

- El Ghannouchi et al. (2023) mettent en lumière les défis de la mise en œuvre de la régionalisation avancée, en identifiant les leviers indispensables pour sa réussite dans un contexte de fluctuations économiques nationales et internationales.
- Derbal et Tahrouch (2021) retracent l'évolution historique de la régionalisation au Maroc et en clarifient les enjeux institutionnels et de gouvernance, à travers un cadre d'analyse rigoureux.
- Koraich et Hamzaoui (2018) proposent une lecture approfondie du processus de décentralisation, en analysant ses effets sur les finances locales, les politiques fiscales et les dynamiques de croissance territoriale. Leur étude aborde aussi les logiques de découpage administratif.
- Clerc, P., Guerraoui, D., & Richet, X. (Dirs.). (2018) : les auteurs explorent le rôle des territoires dans les processus d'émergence économique à travers des comparaisons internationales. Ils montrent que la croissance ne suffit pas : l'innovation, les infrastructures, la gouvernance territoriale et l'intégration régionale sont des leviers essentiels. Les auteurs mettent en avant l'importance de l'inclusion sociale et de la durabilité environnementale dans les stratégies de développement. Ils soulignent ainsi que les territoires sont désormais au cœur des trajectoires d'émergence.
- Jafari et El Moujaddidi (2016) insistent sur le rôle central des régions dans la promotion d'un développement territorial équilibré et endogène, et identifient les obstacles structurels à surmonter pour renforcer leur autonomie.
- Berriane (2015) offre une réflexion critique sur l'évolution des rapports entre l'État et les territoires, en analysant les différentes étapes du découpage administratif et la construction des territoires officiels. Il souligne le caractère évolutif et dynamique de la notion de région.

- Clerc, P., Guerraoui, D., & Richet, X. (Dirs.). (2014). Rassemblant les actes de la 2e Rencontre internationale de Dakhla (2013), les auteurs analysent les enjeux de l'intégration régionale et de la prospective territoriale dans un monde en mutation. Ils comparent différentes expériences internationales afin de comprendre comment les territoires peuvent anticiper les transformations économiques, sociales et environnementales. L'accent est mis sur le rôle de la coopération régionale, de l'innovation et des politiques publiques dans la construction de trajectoires de développement.
- El Bouhali (2012) explore les fondements historiques, politiques et socioculturels de la régionalisation, tout en analysant les propositions de la Commission Consultative de la Régionalisation (CCR). Il questionne aussi les enjeux électoraux et de solidarité interrégionale.
- El Ansari (2008) regrette le manque d'études sur les disparités socio-spatiales et appelle à des recherches plus ciblées sur les causes profondes des inégalités territoriales, en lien avec la croissance démographique, les politiques sociales et les dynamiques économiques.
- Boujrouf et Giraut (2000) analysent le système d'administration territoriale à partir d'approches provinciale, communale et régionale. Ils révèlent un décalage entre les dispositifs institutionnels de développement et les réalités territoriales, appelant à une meilleure prise en compte des spécificités locales.

L'examen de cette liste exhaustive montre qu'une grande partie des études s'est concentrée sur les aspects liés à la dynamique territoriale, notamment la politique, la gouvernance et les disparités régionales. En effet, bien que les études sur l'organisation territoriale et les découpages régionaux soient nombreuses au Maroc, les recherches scientifiques intégrant les dimensions démographique, environnementale et économique dans la conception du découpage régional sont rares. Ce livre vise à combler cette lacune en analysant ces trois dimensions et en proposant un cadre méthodologique pour choisir les variables déterminantes et raisonner la taille économique optimale minimale d'une région.

2. Objectifs, démarche et cadre de réflexion

Dans une optique de réforme territoriale plus équitable et fondée sur des données objectives, ce livre propose une contribution méthodologique à la détermination de la taille économique optimale minimale des régions. Il s'appuie sur l'examen croisé de trois dimensions clés du découpage régional : la démographie, l'environnement, et l'économie. L'ambition est d'offrir un cadre rigoureux permettant d'identifier les variables les plus pertinentes à intégrer dans une démarche de redéfinition territoriale, fondée à la fois sur des fondements théoriques et des outils empiriques.

L'ouvrage adopte une approche innovante, combinant analyse descriptive et modélisation prédictive à travers les techniques de l'apprentissage automatique, et plus particulièrement du deep learning. Ce modèle permet d'anticiper, à partir de données multidimensionnelles, les seuils de viabilité territoriale et de rationalité économique pour les futures régions.

Les objectifs spécifiques poursuivis sont les suivants :

- Analyser les paramètres démographiques, en particulier la densité de population et la part de population vivant dans une collectivité rurale à la lumière du dernier découpage régional de 2015.
- Évaluer la dimension environnementale, à travers l'accessibilité et la répartition des ressources naturelles (eau, forêts, biodiversité, ressources marines et sols).

- Étudier les dynamiques économiques régionales, en mesurant la convergence entre régions sur la base des modèles de β-convergence et σ convergence.
- Proposer une démarche méthodologique pour identifier les variables les plus déterminantes et raisonner la taille économique optimale minimale des régions, à l'aide d'un modèle Multi-Layer Perceptron (MLP).

Quatre hypothèses fondamentales guident ce travail :

1. Les critères démographiques, tels que la densité et la structure de peuplement, sont essentiels pour un découpage territorial équilibré et un ciblage efficace des politiques publiques.
2. La répartition des ressources naturelles respecte des logiques d'homogénéité et d'accessibilité dans le découpage régional.
3. Le découpage régional de 2015 est susceptible de favoriser la convergence économique entre les régions et de réduire les disparités territoriales.
4. Il est possible de modéliser une taille régionale optimale minimale par des outils d'intelligence artificielle, en particulier via un réseau de type Perceptron multicouche.

Ce livre adopte une démarche déductive, reposant sur l'analyse d'hypothèses formulées à partir de la littérature théorique et confrontées à des données empiriques. La méthode s'articule autour de trois phases :

1. Formulation du cadre théorique et problématique, incluant les concepts liés à la croissance, à la régionalisation et au découpage territorial.
2. Choix des méthodes : analyse qualitative pour la démographie et l'environnement; modélisation quantitative pour la convergence économique et la taille économique optimale régionale.

3. Analyse des données, via des outils d'économétrie et de machine learning (MLP), et traitement cartographique pour visualiser les répartitions spatiales.

L'étude mobilise une approche mixte combinant :

- Une analyse qualitative des dimensions démographiques et environnementales, inspirée notamment de la méthode de l'OCDE (2011) et appuyée sur des outils géospatiaux.
- Une analyse quantitative fondée sur la mesure des écarts de développement entre régions et sur la prédiction de la taille économique optimale minimale régionale à l'aide de techniques de deep learning.

Cette complémentarité méthodologique permet de mieux saisir la complexité des réalités territoriales et de renforcer la robustesse des résultats obtenus.

Figure 1 : Schéma illustrant le cadre méthodologique adopté dans cet ouvrage

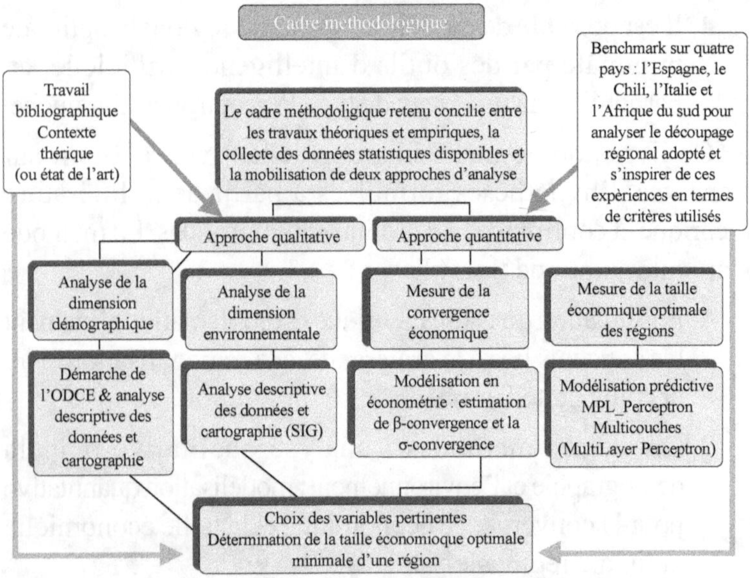

L'ouvrage s'articule autour de six chapitres complémentaires, qui permettent d'aborder de manière intégrée les différentes dimensions du découpage régional et du développement territorial.

Le premier chapitre pose le cadre général de la réflexion en explorant les enjeux contemporains de la régionalisation. Il met en lumière les débats actuels autour de cette dynamique, à la fois en tant que processus politique, institutionnel et levier de développement.

Le deuxième chapitre s'intéresse aux fondements théoriques et aux expériences pratiques du découpage régional. Il propose une analyse des critères utilisés et des logiques sous-jacentes à la délimitation des territoires dans différents contextes.

Le troisième chapitre examine la dimension démographique, envisagée comme un levier fondamental du développement territorial. Il souligne l'importance des dynamiques de peuplement et de la distribution spatiale de la population dans la structuration des régions.

Le quatrième chapitre traite de la dimension environnementale, en interrogeant les possibilités d'une répartition plus équitable des ressources naturelles dans le cadre du découpage régional. Il insiste sur la nécessité de prendre en compte les enjeux écologiques pour garantir un aménagement territorial durable.

Le cinquième chapitre analyse la croissance économique et les disparités régionales, en mettant l'accent sur les dynamiques de convergence et de divergence entre les territoires. Il examine les mécanismes à l'origine des écarts et les leviers susceptibles de favoriser un développement plus équilibré.

Quant au sixième chapitre, il propose une approche méthodologique innovante pour déterminer la taille économique optimale minimale des régions, à partir des variables structurantes identifiées.

L'ouvrage se conclut par une synthèse générale des résultats et ouvre des perspectives pour la recherche et pour l'action publique en matière de développement économique du territoire et de gouvernance régionale.

CHAPITRE 2
CADRES THÉORIQUES ET PRATIQUES DU DÉCOUPAGE RÉGIONAL

Introduction

Ce chapitre met en évidence les concepts clés décrivant les divers aspects liés au découpage régional et au développement des territoires. Cette clarification est de nature à permettre de mieux cerner les terminologies à utiliser dans la suite de ce travail, et qui découlent des différents travaux réalisés dans ce domaine. La croissance économique en lien avec le découpage régional et le développement des territoires ont été également mis en lumière, puisqu'ils occupent toujours une place importante dans les théories de la croissance économique et les théories du développement régional. Ces théories aident à comprendre les facteurs qui contribuent à l'augmentation de la production et de la richesse des régions. L'analyse de certaines théories liées à la problématique traitée permet de tirer les leçons susceptibles d'aider à l'identification des indicateurs les plus déterminants à prendre en considération dans le découpage régional et plus particulièrement pour raisonner une taille économique optimale minimale d'une région.

Certaines expériences internationales en matière de régionalisation et du découpage régional ont été également étudiées dans ce chapitre. En s'inspirant des pratiques des pays ayant réalisé des avancées significatives, divers indicateurs et critères sur lesquels sont fondés les découpages régionaux des pays étudiés ont été examinés.

1. Concepts et notions clés : territoire, région, taille optimale

1.1. Concept de territoire

Dans le nouveau schéma de l'organisation de l'espace, le territoire occupe une place privilégiée et nécessite des approches et des modes d'intervention appropriés dont le but principal est le développement de l'élément humain, ainsi que le renforcement de l'attractivité et de la compétitivité économique des régions.

Plusieurs définitions ont été consacrées au concept du territoire. Selon certains auteurs, le territoire se conçoit comme un système : « un objet qui, dans un environnement, doté de finalités, exerce une activité et voit sa structure interne évoluer au fil du temps, sans pour autant perdre son identité unique » (Le Moigne, 1977).

D'autres auteurs précisent qu'aujourd'hui, le territoire est au centre des stratégies d'attractivité pour le développement économique et devient un véritable sujet de l'action politique au point que l'on confond souvent les acteurs territoriaux avec les territoires qu'ils représentent et dont ils défendent les intérêts économiques (Hatem, 2004a). À cet égard, il convient de rappeler que la question de l'attractivité du territoire a été développée simultanément que celle de la compétitivité en raison du rôle que les territoires sont appelés à jouer dans le cadre de la nouvelle organisation territoriale, à l'instar de ce qui se fait dans les pays qui sont déjà avancés dans ce domaine, notamment la France, l'Espagne et l'Allemagne.

L'économie territoriale est fortement liée à une combinaison de plusieurs facteurs. Il s'agit notamment des flux de revenus qu'elle génère, couplés à la production, à la création de l'emploi et de la valeur ajoutée, à la promotion sociale et à la prééminence de l'économie résidentielle. Sur cette base cinq catégories de territoires ont été définies par Estéb (2013) (i) les territoires à dominance productive (ii) les territoires à dominance publique (iii) les territoires à base sociale (iv) les territoires à base résidentielle et (v) les grandes villes et les métropoles.

Sur un autre plan, accoler l'adjectif économique au territoire, c'est lui donner un sens lié à la production et/ou à la répartition de biens et services marchands. Dans ce contexte, le territoire est alors défini comme « un concours d'acteurs ancré dans un espace géographique délimité (même si la frontière du territoire peut être floue et provisoire) qui vise à identifier puis à tenter de résoudre un problème productif jugé ou ressenti comme partagé par l'acteur (Pecqueur, 2000) ». Il devient alors un « espace de solution » pour des « problèmes productifs ».

Par ailleurs, Campagne et Pecqueur (2014) ont distingué le territoire « donné » du territoire « construit ». Le territoire donné préexiste à l'action des acteurs, il correspond le plus souvent à un découpage politico-administratif qui sert de périmètre institutionnel à la contractualisation, au financement et au management professionnels des projets. Le territoire construit ne se révèle qu'à partir de la réalisation du projet, il n'est pas postulé à l'avance et son degré de construction peut être variable.

À l'issue de ces définitions du concept du territoire, il convient de confirmer d'ores et déjà que la notion de territoire est polysémique, tantôt elle renvoie à un périmètre spatial où s'exerce le pouvoir d'une autorité administrative, dans d'autres cas, elle renvoie à un espace « bassin de vie », lequel, indépendamment du découpage administratif, possède sa propre dynamique résultant de l'homogénéité géographique, culturelle, économique et humaine.

En ce qui concerne le cas marocain, l'application de l'article 71 de la constitution, la loi n° 131-12[2], relative aux

---

2. B.O. n° 6178 du 15 août 2013).

principes de délimitation des ressorts territoriaux des collectivités territoriales, constitue sans doute la première ébauche d'une définition du concept de territoire, mais particulièrement au sens « de ressort territorial pour l'exercice des compétences des collectivités territoriales ».

L'adoption de cette loi a pour unique objectif de servir de référentiel pour le découpage administratif des régions, des provinces et préfectures et des communes et ne couvre donc que partiellement la définition de la notion de territoire.

Ainsi, pour définir la notion du territoire, il importe de passer en revue les dispositions des lois organiques relatives aux collectivités territoriales, notamment celles qui habilitent leurs assemblées élues à créer des groupements pour la réalisation de projets ou la gestion des services d'intérêt général.

Sur le plan juridique, la notion de territoire se définit comme étant tout espace territorial où sont exécutés les programmes de développement de l'État ou des collectivités territoriales et de leurs groupements.

La référence au territoire est, de ce fait, mouvante et concerne des situations différentes. On peut ainsi parler de territoire national, territoire de la région, territoire de la province ou de la préfecture, territoire interrégional, territoire intercommunal et territoire relevant d'un groupement mixte (constitué de région, provinces, préfectures, communes). Selon les situations et les objectifs de l'investigation, on peut utiliser l'une ou l'autre des définitions du territoire.

1.2. Notion du découpage

Durant ces dernières années, le terme de découpage a de plus en plus occupé une place centrale dans les réflexions menées par les chercheurs, mais aussi par les décideurs sur le territoire et sa relation avec les politiques publiques territoriales.

Les études réalisées dans ces domaines montrent que d'un pays à l'autre, et d'une période à l'autre, les stratégies adoptées de découpage diffèrent et évoluent. Certains pays optent pour la division des unités administratives et leur multiplication dans un souci de resserrement du maillage et d'amélioration de l'encadrement. Alors que d'autres préfèrent l'extension, la fusion ou le regroupement pour aboutir à des tailles critiques des territoires favorisant les économies d'échelles nécessaires au bon fonctionnement de l'administration et de l'économie.

Toute opération de découpage régional, selon chaque pays, repose sur l'identification des critères, implicites ou explicites, et de ce fait, plusieurs questions reviennent de façon récurrente : le nombre de régions, leur taille, le choix de leurs capitales, leur délimitation, etc.

1.3. Concept de Région

La région est considérée comme un espace qui se définit par des caractères communs, en rapport les uns avec les autres, tels que les variations de leurs rapports à l'intérieur d'un espace considéré sont moindres que leurs variations à l'extérieur de l'espace. Autrement dit, un espace se différencie de ses voisins par des traits d'ensemble.

Le dictionnaire Larousse définit la région comme un « Territoire dont l'étendue variable est déterminée soit par une unité administrative ou économique, soit par la similitude du relief, du climat et de la végétation, soit par une communauté culturelle… ».

Pour les laboratoires de recherche lexicale du Centre National de la Recherche Scientifique (CNRS), la région est une « Portion de territoire plus ou moins étendue et délimitée, formant une unité constituée soit par sa situation, son climat ou son paysage naturel, soit par son économie, soit par son histoire et ses caractères humains ou ethnologiques ».

Dans le langage courant, le terme région est utilisé tantôt pour désigner l'entité juridique dotée de la personnalité morale et de l'autonomie administrative et financière, tantôt pour désigner la région en tant que territoire.

Si « les géographes s'accordent sur l'idée que la région correspond à la partie d'un ensemble géographique plus vaste, certains (Brennetot & al, 2014) pensent qu'elle est le résultat d'une opération de découpage intellectuel ou politique, tandis que d'autres estiment que la réalité dicte ce découpage (Brunet, 1993) ».

Au sens de la constitution et de la loi organique relative aux régions et des dispositions de la loi n° 131-12, relative aux principes de délimitation des ressorts territoriaux des collectivités territoriales, le terme région désigne un territoire sous le terme de « ressort territorial de la région », et fait également référence à la région en tant que personne morale, bien que le terme région semble désigner à la fois le contenant et le contenu.

1.4. Notion de taille optimale

Optimiser ou rendre optimal signifie donner à quelque chose les meilleures conditions d'utilisation, de fonctionnement ou de rendement au regard de certaines circonstances. (Déf. Larousse).

La taille optimale est un concept complexe et multifacette. Elle dépend de divers facteurs, y compris économiques, politiques, géographiques, culturels et sociaux. Une taille optimale pour une nation ou un territoire peut être définie par la capacité à maximiser l'efficacité économique et la prospérité des habitants. Les économies d'échelle, l'efficacité administrative et l'optimisation des ressources sont des facteurs clés (Alesina et Spolaore, 2003) de la taille.

Il existe diverses interprétations de la taille optimale, celle-ci peut être définie en fonction du poids démographique ou économique, ou encore de l'étendue géographique d'un territoire. En contexte économique, la taille optimale diffère selon que l'on vise à soutenir la création d'entreprises, où la proximité et les relations sont cruciales, ou à renforcer les capitaux propres, où l'ampleur des ressources financières disponibles est essentielle (Gambier, 2009).

La notion de taille économique, appliquée notamment aux pays ou aux nations, est explorée dans plusieurs travaux de recherche dans les domaines du développement régional et de la promotion économique des territoires. Elle dépend de divers critères liés aux activités régionales, tels que le PIB, la population, la densité, la géographie, les infrastructures et les ressources naturelles de la région (Chatelais, 2011).

Une grande variabilité de la notion de la taille économique a été révélée. Selon Siroën (2002), « la taille optimale se définit par l'équilibre entre deux évolutions contradictoires. D'une part, l'accroissement de la taille du pays renforce son pouvoir sur le marché mondial. D'autre part, en intégrant d'anciens partenaires, l'élargissement réduit le taux d'ouverture et donc les bénéfices retirés de l'amélioration des termes de l'échange ». Hall (2007) a abordé également la notion de la taille dans ses travaux sur la planification urbaine.

Après avoir passé en revue succinctement la définition du territoire, de la région, du découpage, de l'espace ainsi que de la taille optimale, et avoir précisé leurs caractéristiques et fonctions respectives, il est important d'examiner les théories ayant trait à la croissance économique, au découpage régional et à la régionalisation.

2. Références théoriques mobilisées

Les recherches et études menées révèlent qu'il n'existe pas de cadre théorique spécifiquement dédié au sujet abordé. Toutefois, le présent ouvrage s'inscrit dans un cadre théorique plus vaste, englobant à la fois la théorie de la croissance économique et celle du développement territorial.

En effet, le développement territorial, qui inclut des aspects tels que l'aménagement du territoire, la planification régionale et l'optimisation des ressources locales, est intrinsèquement lié à la croissance économique. La littérature sur le sujet montre que ces deux domaines s'interpénètrent, avec des théories économiques intégrant des dimensions territoriales pour expliquer les dynamiques de croissance et de développement (Storper, 1997).

Les études théoriques, bien qu'elles varient dans leurs approches et méthodologies, convergent souvent vers l'idée que la croissance économique ne peut être pleinement comprise sans tenir compte des spécificités territoriales. Par conséquent, cet ouvrage adopte une perspective intégrée, reliant les concepts et les théories du développement territorial à ceux de la croissance économique pour offrir une compréhension plus complète et nuancée des dynamiques en jeu.

Ainsi, les théories économiques de la croissance et du développement territorial permettent d'observer une grande variété dans les bases spatiales de référence. Ces dernières vont d'un découpage aléatoire de l'espace jusqu'à un nombre infini des lieux géographiques en passant par des régions homogènes, fonctionnelles et opérationnelles. En effet, plusieurs théories ont étudié la dimension économique et le développement territorial (Capello et Nijdam, 2009). D'autres se sont intéressées à la taille optimale, notamment d'une nation ou d'un pays (Chatelais, 2011).

Prenons la théorie néo-classique décrite par Boisvert (1981), elle est essentiellement fondée sur une approche microéconomique et basée sur une démarche déductive. Elle s'est d'abord intéressée, aux décisions de localisation et à des phénomènes comme la concurrence dans l'espace et pour l'espace.

Par ailleurs, les éléments d'analyse introduits par Keynes et ceux appelés les néokeynésiens ont permis un élargissement considérable de la pensée économique. Deux fondements sont préconisés par la révolution keynésienne à savoir le modèle d'équilibre de sous-emploi et la prise en compte de la dynamique des ajustements. Les auteurs des sciences économiques considèrent que la théorie de la base économique, dont la structure semble à celle de la théorie keynésienne, se distingue par l'importance accordée à la recherche d'une explication de la croissance économique, mais aussi par le rôle moteur confié au secteur exportateur d'une économie.

Développée par Hoyt (1954), North (1955), Tiebout (1956), Bailly (1971) et Aydalot (1987), la théorie de la base économique a considéré la région comme un ensemble quelconque, définie seulement par un libre-échange intégral avec le reste de la nation. Quel que soit le découpage adopté, la région est susceptible d'être analysée par la théorie de la base économique. En effet, n'importe quel découpage s'accorde avec cette théorie économique. Cela signifie que la théorie de la base est intrinsèquement extrarégionale et relève de l'économie globale dans le cadre d'une économie ouverte.

La théorie économique a eu l'avantage d'étudier comment les pays ou les régions peuvent atteindre une croissance économique optimale. Cela passe nécessairement par la maximisation de leur production économique en allouant leurs ressources de manière efficace et en investissant dans le capital humain et les infrastructures.

Dans ce cadre, les travaux réalisés par Bellman (1920-1984) dans la programmation dynamique ont eu un impact profond sur la théorie économique, car il a fourni un moyen de résoudre des problèmes qui impliquent une prise de décision séquentielle. Dans le même sillage, Cass et Shell (1976) ont développé un certain nombre de résultats importants dans la théorie du contrôle optimal. Ils ont étudié principalement l'augmentation des rendements d'échelle, l'organisation industrielle, la croissance économique et les modèles décentralisés.

Développée dans les années 1990, la théorie de la Nouvelle Économie géographique met en avant le rôle central de l'espace dans l'analyse économique. Ce facteur constitue un outil essentiel pour les décideurs et les responsables territoriaux, leur permettant de mieux appréhender les dynamiques de croissance économique, tant à l'échelle globale que régionale.

Il faut reconnaitre que, récemment, les travaux sur la région au sens économique ont connu une grande ampleur. L'idée consistait à comprendre comment les régions peuvent atteindre une prospérité économique à long terme. Selon Bouzou (2009), la région constitue la bonne échelle géographique et administrative pour mener une politique économique, et plus particulièrement une politique économique de l'offre destinée à rendre les entreprises plus compétitives.

Développée initialement par Ricardo il y a deux siècles, la théorie de l'avantage comparatif garde toute sa pertinence aujourd'hui. Cette théorie suggère que la taille optimale d'une région dépend de ses avantages comparatifs locaux. Les avantages comparatifs locaux sont les avantages que possède une région par rapport à d'autres régions en termes de ressources naturelles, de talents, de compétences ou d'infrastructures. Les régions qui sont capables de capitaliser sur leurs avantages comparatifs locaux peuvent stimuler leur croissance économique (Porter, 1990).

Il est évident que ces théories économiques ont tenté d'analyser et d'examiner les contours et le contenu du découpage territorial, de la région et du développement territorial. Cependant, elles n'ont pas fourni de définition claire de la région en tant qu'espace de développement au niveau régional ni identifié des critères précis pour le découpage régional ou territorial. De surcroît, elles n'ont pas établi un cadre méthodologique permettant de déterminer la taille économique optimale minimale d'une région, point central du présent ouvrage.

D'ailleurs, les résultats auxquels est parvenu Boisvert (1981), d'après son analyse aux différentes théories pensées par les économistes et les géographes, montrent la complexité de cet exercice. Il s'est adressé à la fois aux :

- Économistes pour développer leurs approches en matière de découpage territorial, notamment la création au niveau régional de nombreuses filiales autonomes dans le choix de production, de marché et des achats, soit se contenter d'un réseau, avec des missions et des spécialisations pointues, soit s'assurer d'une présence, souvent réduite au minimum dans chaque région du pays.
- Géographes pour considérer les nouvelles perspectives de découpage à savoir les espaces polarisés, les zones économiques optimales, la fluidité de découpage et la possibilité d'appartenance d'une zone donnée à plusieurs unités territoriales emboitées.

Dans le même sillage, le développement territorial requiert aujourd'hui une gestion durable ainsi qu'une répartition équilibrée des ressources naturelles. Dans cette perspective, une théorie expliquant la gestion durable des ressources a été développée par Élinor Ostrom (2007), en mettant en place un cadre d'analyse des systèmes socioécologiques (SSE d'Ostrom). Selon cette théorie, la durabilité environnementale est potentiellement influencée par de nombreuses variables de type économique, social, écologique et institutionnel. Ce cadre d'analyse commun, avec des variables prédéfinies, favorise l'analyse de la durabilité et la collaboration via le partage d'expériences entre des situations différentes (Brondizio et al. 2016).

Dans le cadre de l'analyse économique contemporaine, il apparaît désormais indispensable d'intégrer pleinement les interactions entre les dynamiques économiques et les systèmes environnementaux. Il ne saurait être question de dissocier l'activité économique de ses incidences sur l'environnement, tant en ce qui concerne l'exploitation des ressources naturelles que les processus de dégradation des écosystèmes. À cet égard, la théorie économique offre un corpus d'outils conceptuels et analytiques permettant d'appréhender la gestion des ressources naturelles selon une perspective intégrant les enjeux de durabilité (Martin-Amouroux & Criqui, 2019).

En termes de répartition des ressources naturelles, la théorie de l'écologie politique développée par Murray Bookchin, dès les années 1960, révèle que la répartition des ressources naturelles doit se faire de manière durable et équitable, tout en mettant l'accent sur la nécessité de la démocratie directe et de la participation citoyenne dans la gestion de ces ressources.

À partir de l'examen de ces théories, il convient de souligner que l'évolution des approches fruits des investigations menées dans ce domaine montre que, quel que soit le niveau de découpage territorial, la région ne peut se concevoir comme un espace fermé ni constant. Elle évolue en fonction de la dynamique des territoires dans lesquels elle s'inscrit. En effet, pour qu'un découpage régional soit cohérent (Girard, 2014), il faut que chaque région ait à sa tête une capitale régionale qui polarise suffisamment son espace environnant. On assiste ainsi à la multiplication des études sur les aires d'influence des villes, les flux matériels et immatériels se développant au sein d'un espace donné et *in fine* sur les relations entre la ville-centre et les autres villes de niveau inférieur, *etc*.

Ainsi, il convient de rappeler que l'accent a été mis sur la clarification et l'explication des principaux concepts liés au développement territorial, à la région, au territoire et à la taille économique optimale. Il a été également mis en relief l'importance de la croissance économique et du développement régional, tel qu'elle est abordée par les différentes théories économiques.

La problématique du découpage régional est également examinée à travers l'analyse de diverses théories et approches spécialisées. Cependant, la nature multidimensionnelle de la question du découpage régional et de la croissance économique des régions révèle la complexité de son analyse. Bien que les théories dont s'est inspiré le présent travail, notamment la théorie de la croissance économique et la théorie du développement territorial, aient tenté de caractériser la région et d'aborder le découpage régional, elles n'ont pas réussi à traiter de manière satisfaisante la question d'un découpage régional optimal. Elles n'ont pas proposé d'indicateurs ou de variables pertinentes pour définir la taille optimale d'une région sur une base économique.

Les principales théories explorant le lien entre croissance économique, régionalisation et développement territorial sont indiquées dans le tableau suivant :

Tableau 1 : Principales théories explorant le lien entre croissance économique, régionalisation et développement territorial

Théories	Apports
Théorie de la croissance économique	Intègre les dimensions territoriales comme éléments clés pour expliquer les dynamiques de croissance et de développement (Storper, 1997).
Théorie néo-classique décrite par Boisvert (1981)	Fondée sur une approche microéconomique et basée sur une démarche déductive.
Théorie de la base économique : (1954), North (1955), Tiebout (1956) et Bailly (1971)	Elle a considéré la région comme un ensemble quelconque, définis seulement par un libre-échange intégral avec le reste de la nation. Quel que soit le découpage adopté, la région est susceptible d'être analysée par la théorie de la base économique.
Théorie de l'avantage comparatif	Développée initialement par Ricardo, il y a deux siècles, la théorie de l'avantage comparatif garde toute sa pertinence aujourd'hui. Cette théorie suggère que la taille optimale d'une région dépend de ses avantages comparatifs locaux par rapport à d'autres régions en termes de ressources naturelles, de talents, de compétences ou d'infrastructures.

Théorie de la croissance développée par Solow (1956)	Apport important en matière de convergence économique.
Théorie d'Ostrom (2007)	Analyse des systèmes socioécologiques (SSE Élinor d'Ostrom, 2007). Selon cette théorie, la durabilité environnementale est potentiellement influencée par de nombreuses variables du type économique, social, écologique et institutionnel.
Théorie de l'écologie politique développée par Murray Bookchin, dès les années 1960.	Soutient que la répartition des ressources naturelles doit se faire de manière durable et équitable.
Théorie de la Nouvelle Économie géographique, développée dans les années 1990	Mets en avant le rôle central de l'espace dans l'analyse économique. Ce facteur constitue un outil essentiel pour les décideurs et les responsables territoriaux, leur permettant de mieux appréhender les dynamiques de croissance économique, tant à l'échelle globale que régionale.

3. Découpage régional à l'échelle nationale et internationale

3.1. Expérience du découpage régional au Maroc

Après l'indépendance, le Maroc a adopté un premier découpage territorial en 1971, créant ainsi sept régions purement économiques[3].

Cette organisation, basée sur sept régions économiques, a duré jusqu'à la révision de la constitution de 1992 et celle de 1996. Ainsi, la promulgation de la loi 47-96 du 2 avril 1997 a reconnu la région en tant que collectivité locale dotée de la personnalité morale et de l'autonomie financière. Le nombre de régions est passé en conséquence de 7 à 16 régions et les spécificités de chaque région sont reconnues, avec une prise en compte des soucis de cohésion et d'homogénéité dans l'arsenal des critères de découpage, mais la loi réglementant ce découpage reste vague sur la définition de la notion d'homogénéité et de cohésion.

Bien que certains critères afférant à la composante humaine des régions, notamment les spécificités identitaires et culturelles, aient été pris en compte par la loi en attribuant à certaines régions les noms des ensembles tribaux qui y ont vécu (région de Doukkala-Abda, région Gharb-Chrarda-Beni Hassen, etc.), ils ont été marginalisés lors du découpage au profit d'autres critères, notamment économiques comme indiqué dans le tableau ci-après :

3. Centre, Nord-Ouest, Tensift, Centre Nord, Sud, Centre Sud, Oriental.

Tableau 2 : Critères économiques retenus dans les trois découpages régionaux

	Découpage de 1971 7 régions économiques	**Découpage de 1997 16 régions**	**Découpage de 2015 12 régions**
Critères	- Le rayonnement des grandes villes et le réseau urbain - Potentialité d'irrigation - La densité de la population rurale - Le trafic ferroviaire - La circulation routière et les différents équipements de base - La valeur ajoutée industrielle - Création de pôles de développement - Les ports et l'ouverture sur la mer	- Complémentarité fonctionnelle - Polarisation urbaine - Création de « pôles régionaux de développement », - Homogénéité en rapport avec les conditions historiques, - Intégration économique, - Cohésion,	- L'efficience, - L'accumulation sur l'existant, - L'homogénéité, - La fonctionnalité, - L'accessibilité et la proximité, - La proportionnalité et l'équilibre

Les découpages régionaux perpétrés au cours du siècle dernier n'ont pas pu résorber les dysfonctionnements et les contraintes vécus par les régions en termes de disparités, d'exode rural, de compétitivité, de faiblesse des moyens financiers et du développement d'une forte urbanisation dans la majorité des régions. Ces difficultés endogènes et d'autres exogènes ont incité les pouvoirs publics à concevoir une réforme de l'organisation territoriale du pays.

Dans ce cadre, la Commission consultative de la régionalisation (CCR) créée en 2010 avait proposé un projet de découpage régional et mis au point un modèle de fonctionnement de la régionalisation. En effet, ce découpage a donné lieu à 12 régions au lieu de seize délimitées lors du découpage de 1997. Conformément aux dispositions de l'article 71 de la Constitution, les principes de la délimitation des ressorts territoriaux des régions, des préfectures et provinces et des communes ont été arrêtés en vue de la création des collectivités territoriales viables et pérennes, en tenant compte de leurs potentialités et de leurs composantes territoriales. Cette démarche s'inscrit dans une volonté d'organisation territoriale décentralisée, fondée sur une régionalisation avancée au sein de l'État unitaire.

Ainsi, les principes suivants ont été adoptés conformément à la loi n° 131-12 relative à la délimitation des ressorts territoriaux des collectivités territoriales (B.O. n° 6178 du 15 août 2013) :

- Des critères de l'efficacité, de l'efficience, de l'accumulation, de la cohérence, de la fonctionnalité, de la proximité, de la proportionnalité et de l'équilibre comme fondements essentiels à la délimitation en vue de la constitution d'ensembles spatiaux complémentaires, dotés de masse minimale humaine et économique significative ;
- D'autres critères importants ont été considérés dans ce nouveau découpage :

- Formation d'ensembles territoriaux fonctionnels à partir d'un pôle ou d'un bipôle urbain rayonnant sur de vastes espaces de croissance économique et reflétant l'organisation des activités économiques et humaines et des flux qui y sont liés ;
- Constitution de la région à partir d'un ensemble de composantes spatiales intégrées sur la base conjointe des spécificités de leurs conditions naturelles, économiques et humaines et qui satisfont de ce fait au principe de l'homogénéité géographique ;
- Adossement sur le maillage administratif préfectoral et provincial afin de construire sur l'existant et de capitaliser la tradition de décentralisation administrative du Royaume, en se conformant à la triple exigence de la continuité, de la contiguïté/voisinage et de la préservation de l'intégrité des entités administratives ;
- Constitution d'ensembles cohérents combinant continuité géographique des parties constitutives et connectivité de celles-ci par un réseau dense de desserte facilitant l'accessibilité au chef-lieu de région.

Néanmoins, la question qui se pose est celle de savoir si ce découpage a permis effectivement une meilleure intégration des indicateurs économiques et démographiques et une répartition équilibrée des ressources naturelles.

3.2. Regards internationaux

La réflexion sur la question du développement territorial et le découpage régional s'accompagne d'une ouverture sur les autres pratiques à l'international à travers une démarche de benchmark permettant de tirer les leçons les plus appropriées en la matière. Afin de diversifier les sources d'informations, il a été jugé intéressant de choisir des pays qui reflètent une représentation des trois continents : l'Amérique latine, l'Europe et l'Afrique. Il s'agit de l'Italie, de l'Espagne, du Chili, et de l'Afrique du Sud. Il est à noter que ce choix tient compte des critères suivants :

- Le modèle économique et démographique ;
- L'expérience en termes de régionalisation et de découpage des régions ;
- Le nombre des régions qui varie de 9 à 20 régions ;
- La distribution, la configuration territoriale de la démographie et de la géographie.

- Italie

Le modèle régional adopté par l'Italie a longtemps été original en Europe, car il se situe à mi-chemin entre le modèle centraliste incarné par la France et le modèle fédéral des Länders allemands (Mazzega et Musitelli, 1981). Selon la constitution italienne, la République se répartit en régions, provinces et communes. Cette répartition des échelons territoriaux est semblable à celle du Maroc.

L'Italie compte 50 030 133 habitants répartis en 20 régions. Cinq d'entre elles bénéficient d'une autonomie élargie, garantie par des statuts spécifiques. Les pouvoirs et compétences des régions sont définis par la Constitution de la République italienne (articles 114 à 133). Chaque région (sauf la Vallée d'Aoste) est divisée en provinces. Il existe 103 provinces ou départements et 8033 communes.

Le cas de l'Italie est un bon exemple d'étude, notamment en matière du niveau du développement économique des régions et de leur répartition dans tout le territoire italien. L'idée consiste à s'inspirer du modèle régional italien en termes d'analyse économique des régions, car ce pays présente une certaine ressemblance pour le cas marocain, notamment en termes de concentration des populations et de la forte activité économique au Nord. De même, l'expérience de régionalisation en Italie manifeste des disparités territoriales entre le Nord et le sud à l'image de celles observées au Maroc.

- Espagne

L'expérience de la décentralisation en Espagne est très poussée et son ancienneté (près de 40 ans), témoigne de la richesse de cette pratique en termes d'organisation de l'espace territorial. La décentralisation est un processus continu soumis de façon permanente à des réajustements périodiques, l'Espagne en a connu cinq en 40 ans. Ce pays du sud de l'Europe compte 46 528 970 habitants répartis en 17 régions[4] (communautés autonomes). Ces régions sont à leur tour composées d'une ou plusieurs provinces et de 8182 communes. Les communautés autonomes constituent des collectivités décentralisées.

Malgré le caractère très avancé de la décentralisation en Espagne, l'État central garde la main à travers l'exercice en exclusivité des missions régaliennes, la fixation de normes harmonieuses pour l'exercice des compétences transférées et le contrôle des finances des communautés autonomes.

- Chili

Le Chili est un pays qui a institutionnalisé les régions dans les années 1970 à la suite du processus de mise en place d'une planification d'abord nationale, ensuite régionale (Gutiérrez Ruiz, 2012). Le Chili reflète une situation similaire au cas marocain en termes de concentration de la population. Ainsi,

4. À ces 17 régions autonomes, s'ajoutent les deux villes autonomes situées au Sud-ouest marocain (Ceuta et Melilla).

la géographie, la distribution démographique et économique présentent des caractéristiques semblables au cas du Maroc. Le Chili a une expérience très ancienne en matière de régionalisation et constitue un modèle de l'Amérique latine qui présente le même niveau de développement que le Maroc.

La République du Chili compte 17 574 003 habitants selon le dernier recensement de la population et de l'habitat réalisé en 2017. Ces habitants sont répartis en 16 régions, 56 provinces et 347 communes. Le Chili est le pays le plus riche et le plus moderne d'Amérique du Sud. Sa population est la plus évoluée économiquement du sous-continent. À ce titre, le taux d'alphabétisation dépasse 94 % pour les 16 régions. Le développement de ce pays se base beaucoup sur l'exploitation de ses ressources minières et agricoles.

- Afrique du Sud

Adoptée en décembre 1996, la Constitution a instauré la nouvelle République d'Afrique du Sud et mis en place un État unitaire fortement décentralisé, composé de neuf provinces. Bien que la structure rappelle celle d'un système fédéral, les termes « fédéral » et « fédération » n'y apparaissent pas. Les provinces, délimitées de façon à respecter les particularismes ethniques et linguistiques, disposent chacune d'une législation et sont dotées de leur propre gouvernement régional. Leurs compétences touchent un certain nombre de domaines, dont ceux de l'économie, de la langue et de l'éducation, etc. L'expérience de l'Afrique du Sud repose sur la province en tant que grande région, ce qui a permis de limiter le nombre de régions/provinces à neuf. Le choix de ce pays s'est justifié par le fait qu'il présente en termes économique, géographique et distribution démographique une certaine similitude au cas du Maroc. Avec une population d'environ 60 millions, l'Afrique du Sud fait partie des pays africains ayant adopté une régionalisation fondée sur des provinces qui constituent de grandes régions. L'Afrique du Sud dispose de 9 grandes régions/provinces[5].

- L'état du découpage dans les 4 pays en comparaison avec le Maroc par indicateurs

L'ambition affichée dans le cadre de ce benchmark consiste à identifier un certain nombre d'indicateurs tirés de la revue de la littérature (nationale et internationale). Le tableau suivant indique les indicateurs proposés pour faire une comparaison des pays étudiés en se focalisant sur les dimensions retenues dans cette étude à savoir démographique, économique et environnementale/capital naturel.

Tableau 3 : Indicateurs proposés pour comparer les pays étudiés en se basant sur les trois dimensions (démographique, environnementale et économique)

Dimension	**Indicateurs**
Démographique	Nombre d'habitants
	Population urbaine
	Densité de la population
	Population rurale
	Nombre de communes par région
	Superficie (km²)

5. Gauteng, KwaZulu-Natal, Eastern Cape, Western Cape, Limpopo, Mpumalanga, Northwest, Free State, Northern Cape.

Économique	PIB par région
	PIB agricole par région
	Taux d'investissement en %
	Part du secteur de l'industrie dans la VA totale de chaque région (en MDH)
	Part des services dans la VA totale de chaque région (en MDH)
	Nombre d'entreprises
	Chiffre d'affaires des entreprises
	Taux de chômage
Environnementale/ capital naturel	Superficie forestière par région (ha)
	Volume d'eau disponible superficielle (m 3)
	Surface agricole utile (SAU) (en ha)
	Nombre de réserves de biosphère
	Nombre d'aires protégées
	Effectifs des débarquements des produits de pêches (en tonnes)

- Analyse des modèles de découpage adoptés par les pays étudiés

L'analyse des quatre modèles retenus dans ce benchmark a été menée moyennant la recherche des informations et des données quantitatives de chaque pays. Cependant, l'approche adoptée pour réaliser une étude comparative entre le Maroc et plusieurs expériences régionales internationales rencontre des problèmes d'ordre méthodologique suivants :

- Manque des données portant sur les différents indicateurs démographiques, économiques et environnementaux ;

- Différentiation de la connotation et de la signification de chaque indicateur d'un pays à l'autre ; le cas le plus pertinent est celui de l'indicateur de la population urbaine qui diffère dans sa définition d'un pays à l'autre ;
- Manque d'une continuité des données entre les pays. La production des données dans chaque pays suit un rythme de production (recensement) qui diffère d'un pays à l'autre.

L'approche méthodologique adoptée repose sur l'identification et l'utilisation d'indicateurs communs aux quatre pays étudiés et au cas du Maroc, pour lesquels des données fiables et disponibles ont pu être collectées et analysées. Parmi ces indicateurs, figurent :

- Superficie des régions exprimée en km^2
- Nombre de communes par région
- Population totale par région
- Population urbaine par région
- Densité de la population régionale exprimée (en hab./km^2)
- PIB par région
- Volume d'eau superficielle disponible dans chaque région exprimée en mètres cubes (m^3).

Les données collectées ont été intégrées dans un seul tableau pour chaque région des cinq pays étudiés. Cette sélection permet de mener une analyse comparative cohérente, facilitant ainsi la compréhension de mode de découpage régional adopté par chaque pays. Les résultats de ces analyses figurent dans le tableau suivant :

Tableau 4 : Calcul des valeurs minimales, moyennes et maximales des variables communes retenues dans le benchmark (en %)

Critères/ régions		Maroc	Italie	Espagne	Chili	Afrique du Sud
Population totale (en %)	min	0,50	0,21	0,18	0,59	2,10
	Moyenne	8,33	5	5,26	6,25	11,11
	Max	20,61	16,84	18,07	40,47	25,30
Population urbaine/région (en %)	min	0,63	0,23	0,95	0,53	0,23
	Moyenne	8,33	5	4,00	6,25	5
	Max	24,87	17	20,51	44,41	17
Densité (hab/ km²)	min	1,32	0,38	25,68	1,00	3,25
	Moyenne	192,81	121,45	728,97	55,66	231,50
	Max	1253,29	121,45	6547,38	474,00	1157,50
PIB (en %)	min	1,44	0,27	0,18	0,71	2,09
	Moyenne	8,33	5,00	7,12	6,25	11,11
	Max	30,80	22,27	26,34	46,20	34,53
Superficie (en %)	min	2,25	0,22	0,00	1,71	1,50
	Moyenne	8,33	5,00	5,26	6,25	11,10
	Max	20,62	10,63	18,63	17,20	30,50
Volume d'eau disponible superficielle (m³)	min	7301282	50049	22297	11	
	Moyenne	67380865,6	461509,85	454323,74	2488,325	
	Max	238498837	1420098	1636569	18343	
Nombre de communes/ région	min	13	74	1	4	11
	Moyenne	128	396	431	21,69	24
	Max	216	1507	2248	52	44

Source : Élaboré par l'auteur

L'analyse des données statistiques, basée sur les calculs des valeurs minimales, moyennes et maximales des cinq variables principales disponibles, met en lumière les appréciations suivantes par variable :

- Superficie

L'analyse des superficies régionales, en lien avec le découpage régional de chaque pays, révèle des dynamiques variées et des défis spécifiques en matière de gestion territoriale. Au Maroc, les superficies régionales varient considérablement, avec des valeurs allant de 2,25 % à 20,62 %. Ce qui peut créer des disparités importantes, posant ainsi des défis complexes en termes de gestion territoriale. Les grandes régions, telles que celles situées dans le sud du pays, nécessitent des stratégies spécifiques pour la distribution des ressources et le développement des infrastructures. Les régions plus petites, souvent situées autour des grandes villes urbaines comme Casablanca et Rabat, pourraient nécessiter une attention particulière pour réduire la forte concentration des activités économiques et des populations. La diversité des tailles des régions reflète aussi la géographie variée du Maroc, allant des zones de montagnes de l'Atlas aux vastes étendues désertiques.

En Italie, les superficies régionales sont relativement uniformes, avec des valeurs comprises entre 0,22 % et 10,63 %. Cela peut faciliter une gestion territoriale équilibrée, permettant une distribution plus homogène des ressources et des infrastructures. Les régions italiennes, définies principalement sur des bases historiques et culturelles, bénéficient d'une relative similarité des superficies, ce qui contribue à une planification cohérente et à une mise en œuvre efficace des politiques régionales. Cette uniformité aide également à promouvoir une croissance économique stable et équitable à travers le pays.

L'Espagne présente une répartition équilibrée des superficies régionales, avec des valeurs allant de 0,0037 % à 18,63 %. Le découpage régional espagnol, basé sur les communautés autonomes, permet une gestion territoriale harmonieuse et favorise un développement économique régional plus homogène. Chaque communauté autonome dispose d'un certain degré d'autonomie politique et économique, ce qui permet une adaptation des politiques aux réalités locales. Cette structure administrative contribue à éviter des disparités marquées et renforce la cohésion nationale, facilitant ainsi la mise en œuvre efficace des politiques publiques.

Les superficies régionales au Chili montrent des disparités modérées, avec des valeurs variant de 1,71 % à 17,20 %. Le découpage régional du Chili, qui divise le pays en 16 régions, 56 provinces et 347 communes, reflète la diversité géographique allant des régions désertiques du Nord aux régions forestières du Sud. Bien que ces écarts ne soient pas aussi prononcés que dans certains autres pays, ils indiquent néanmoins la nécessité de stratégies de gestion différenciées pour les différentes régions.

L'Afrique du Sud affiche des disparités significatives dans les superficies régionales, allant de 1,50 % à 30,50 %. Le découpage régional sud-africain, qui divise le pays en 9 grandes régions/provinces, montre des différences importantes qui peuvent compliquer la gestion des ressources et des infrastructures. Les provinces plus vastes, telles que le Cap Nord, pourraient nécessiter des investissements considérables en infrastructures pour garantir un accès équitable aux services. Les provinces plus petites, souvent plus urbanisées comme Gauteng, pourraient nécessiter des politiques spécifiques pour assurer leur développement et éviter les inégalités.

La pertinence de la variable superficie réside dans la caractérisation de l'étendue des régions au sein de chaque pays et entre les pays étudiés. Sa prise en compte dans le découpage régional permet d'assurer un équilibre des ressources, de réduire les disparités territoriales en termes économiques, géographiques et d'infrastructures.

- Nombre de communes

L'analyse des données concernant le nombre de communes par région a montré une différence nette entre les pays étudiés. Une variation relativement modérée a été constatée pour le cas du Maroc quant au nombre de communes par région, avec un minimum de 13 et un maximum de 216. La moyenne de 128 communes par région indique une distribution assez équilibrée, sans écarts extrêmes.

En Italie, la variation est beaucoup plus marquée. Le nombre minimum de communes par région est de 74, tandis que le maximum atteint 1507. La moyenne de 396 indique une grande diversité entre les régions, certaines ayant un nombre extrêmement élevé de communes. L'Espagne présente l'écart le plus considérable. Avec une région ayant seulement une commune (Ceuta Melilia) et une autre atteignant 2248, la moyenne de 431 communes par région souligne une disparité significative dans la répartition des communes. Le Chili affiche une distribution plus uniforme avec un minimum de 4 et un maximum de 52 communes par région. La moyenne de 21,69 communes par région reflète une taille modeste et une distribution équilibrée. L'Afrique du Sud a également une distribution assez cohérente avec un minimum de 11 et un maximum de 44 communes par région. La moyenne de 24 communes par région indique une répartition stable et équilibrée.

Ainsi, les données montrent une grande variabilité dans le nombre de communes par région parmi les différents pays. L'Italie et l'Espagne présentent les écarts les plus importants, tandis que le Chili et l'Afrique du Sud montrent des distributions plus homogènes. Le Maroc se situe dans une position intermédiaire avec une variation modérée.

Cette variable indiquant la répartition des communes au sein des régions peut influencer fortement le découpage régional et doit donc être prise en compte lors de l'élaboration du schéma de découpage.

- Population totale

Les tendances générales montrent que le Maroc et le Chili présentent des disparités significatives avec des valeurs maximales de 20,61 % et 40,47 % respectivement, ce qui indique une concentration de la population dans certaines régions. En analysant en détail ces données, force est de constater la forte disparité (min 0,50 %, max 20,61 %) pour le cas du Maroc ; ce qui confirme l'analyse de la dimension démographique précisant que certaines régions sont très peuplées tandis que d'autres sont peu habitées. Cela pourrait être dû à la concentration des opportunités économiques et des infrastructures dans certaines régions (Casablanca-Settat et Tanger-Tétouan-Al Hoceima). En ce qui concerne le Chili, la valeur maximale très élevée (40,47 % dans la région Santiago) anime une forte centralisation de la population, notamment dans certaines régions.

Concernant le cas de l'Italie et de l'Espagne, les tendances montrent une distribution plus équilibrée avec des valeurs maximales inférieures à 20 %. En Italie, une distribution uniforme (min 0,21 %, moyenne 5 %, max 16,84 %) peut indiquer une meilleure répartition des ressources et des services à travers le pays. Avec des valeurs similaires à celles de l'Italie, l'Espagne (min 0,18 %, max 18,07 %) semble également avoir une distribution de population assez équilibrée. S'agissant de l'Afrique du Sud, la disparité (min 2,10 %, max 25,30 %) montre une distribution relativement uniforme comparée à celle du Maroc ou du Chili, mais les régions restent caractérisées par une répartition inégale de la population.

- Densité

Une analyse détaillée des densités de population révèle des disparités significatives entre différents pays. Au Maroc, la densité de population varie considérablement, allant de 1,32 habitant/km² à 1253,29 habitants/km². Cette variation suggère des défis importants en matière de gestion urbaine et rurale. En Italie, les densités de population sont modérées, avec un minimum de 0,38 habitant/km² et un maximum de 121,45 habitants/km², ce qui indique une distribution relativement équilibrée de la population. En Espagne, les valeurs de densité, allant de 25,68 habitants/km² à 6547,38 habitants/km², montrent des disparités extrêmes, avec des centres urbains très densément peuplés. Au Chili, la densité de population varie de 1,00 habitant/km² à 474,00 habitants/km². Bien que variée, cette densité est moins extrême que celle observée en Espagne. En Afrique du Sud, les densités de population, allant de 3,25 habitants/km² à 1157,50 habitants/km², révèlent des régions avec des densités élevées, bien que relativement modérées dans d'autres zones.

- Population urbaine

Il est important de noter une urbanisation élevée au Chili (jusqu'à 44,41 %) et au Maroc (jusqu'à 24,87 %), ce qui révèle des signes de forte urbanisation dans certaines régions de ces pays. Une analyse détaillée de ces tendances par pays révèle qu'au Maroc, les valeurs élevées (minimum de 0,63 % et maximum de 24,87 %) indiquent une forte urbanisation dans certaines régions, ce qui peut causer des défis en termes de gestion urbaine et d'infrastructure. Au Chili, la valeur maximale très élevée (44,41 %) indique une concentration urbaine importante, probablement autour de Santiago. En revanche, l'Italie et l'Espagne montrent une tendance vers une urbanisation plus équilibrée, avec une répartition plus homogène de la population urbaine par région. En Italie, une répartition plus équilibrée (min 0,23 %, max 17,00 %) inspire une gestion urbaine plus homogène. Alors qu'en Espagne, les valeurs (min 0,95 %, max 20,51 %) indiquent une urbanisation modérée avec certaines régions très urbanisées. En Afrique du Sud, la valeur maximale plus modérée (17,00 %) indique une urbanisation équilibrée, bien que des disparités entre régions/provinces existent encore.

- PIB

L'analyse des données statistiques du PIB des pays étudiés par région révèle une disparité économique significative entre les régions. Le Chili et l'Afrique du Sud illustrent parfaitement cette situation, avec des écarts considérables dans la répartition de la richesse nationale entre les régions. Au Chili, la région la plus riche concentre jusqu'à 46,20 % du PIB national. Cette concentration économique présente une centralisation très marquée de l'activité économique, ce qui peut engendrer des défis pour le développement régional et l'équité territoriale économique.

En Afrique du Sud, les valeurs du PIB varient de 2,09 % à 34,53 %, montrant à la fois une concentration économique et des disparités régionales significatives. Ces chiffres témoignent d'une forte concentration de l'activité économique dans certaines zones, laissant d'autres régions à la traîne.

Au Maroc, la valeur maximale élevée de 30,80 % insuffle une concentration notable de la richesse dans certaines régions, ce qui pourrait engendrer des déséquilibres économiques internes et entre régions, accentuant ainsi les disparités. Cette tendance a été confirmée par l'analyse de la convergence économique des régions (chapitre 5).

En revanche, certains pays affichent une répartition plus uniforme de leur PIB régional. L'Italie et l'Espagne se démarquent par une distribution plus équilibrée de la richesse économique. En Italie, les valeurs varient entre un minimum de 0,27 % et un maximum de 22,27 %, tandis qu'en Espagne, la répartition est similaire avec des valeurs allant de 0,18 % à 26,34 %. Ces chiffres indiquent une économie relativement bien répartie sur l'ensemble du territoire. De ce fait, en Italie, les valeurs du PIB montrent une distribution assez uniforme, ce qui peut favoriser une croissance économique plus inclusive. De même, en Espagne, une distribution équilibrée du PIB indique une économie stable et bien répartie.

Ainsi, ces tendances du PIB en lien avec le découpage régional montrent que les disparités économiques sont souvent liées à la concentration des activités économiques dans les grandes villes où les régions sont dotées de ressources suffisantes et d'infrastructures développées. Les pays avec une décentralisation administrative et une diversité économique régionale tendent à afficher une répartition plus équilibrée du PIB. De ce fait, le PIB peut être considéré comme variable décisive pour concevoir un découpage régional permettant d'assurer une distribution plus équilibrée de la richesse économique d'un pays.

- Volume d'eau disponible superficielle

L'analyse du volume d'eau superficielle par région/pays étudiés révèle une grande diversité entre les pays. Le Maroc présente une énorme variation dans le volume d'eau disponible en surface. Le fait qu'une région puisse avoir un minimum de 7 301 282 m^3 indique des disparités hydrologiques considérables.

Cependant, la moyenne élevée de 67 380 865,6 m³ et un maximum impressionnant de 238 498 837 m³ suggèrent que certaines régions sont extrêmement riches en ressources en eau (cas des régions du Nord), tandis que d'autres sont sèches et arides. En Italie, les volumes d'eau disponibles sont plus modestes, mais bien répartis. Le minimum de 50 049 m³ et le maximum de 1 420 098 m³ indiquent une distribution plus homogène par rapport au Maroc. La moyenne de 461 509,85 m³ reflète une répartition relativement équilibrée des ressources en eau en surface.

L'Espagne montre également une variation significative dans les volumes d'eau disponibles, avec un minimum de 22 297 m³ et un maximum de 1 636 569 m³. La moyenne de 454 323,74 m³ est proche de celle de l'Italie, suggérant une distribution similaire des ressources hydriques.

Le Chili présente les volumes d'eau en surface les plus bas parmi les pays étudiés. Avec un minimum de seulement 11 m³ et un maximum de 18 343 m³, la moyenne de 2 488,325 m³ indique une disponibilité en eau très limitée. Cette situation reflète les défis hydrologiques auxquels le Chili est confronté.

Les données pour l'Afrique du Sud ne sont pas complètes, ce qui empêche une analyse détaillée de la disponibilité en eau de surface par région.

Les données disponibles révèlent des différences marquées dans la disponibilité en eau de surface entre les pays étudiés. Le Maroc se distingue par une grande variabilité avec des régions extrêmement riches en ressources en eau superficielle et d'autres complètement sèches. L'Italie et l'Espagne montrent des distributions plus équilibrées, bien que modérées. Le Chili, quant à lui, fait face à une disponibilité en eau de surface très limitée, reflétant les défis hydriques significatifs du pays. Les informations incomplètes pour l'Afrique du Sud ne permettent pas de tirer des conclusions pour ce pays. Cette analyse souligne l'importance de la gestion et de la distribution des ressources en eau en tant que variable déterminante pour le développement régional et la durabilité environnementale.

Ainsi, le calcul statistique effectué, notamment le minimum, la moyenne pondérée et le maximum des différents indicateurs et l'analyse des variables par pays, font ressortir les principaux éléments suivants :

- Absence d'une logique ou d'un modèle type qui dicte le découpage régional dans les pays étudiés (chaque pays reflète une situation à part). Il faut bien maitriser et étudier le territoire avant de procéder au découpage, le contexte national et local dicte le modèle à adopter. À titre d'exemple, le nombre de régions diffère d'un pays à l'autre. De même, les autres indicateurs diffèrent largement sans qu'il y ait de logique statistique, comme l'indiquent les écarts entre les moyennes, les minimums et les maximums entre les cinq pays ;
- L'analyse permet de pointer une grande disparité entre régions dans chaque pays en termes de superficie. L'Afrique du Sud reflète des régions assez grandes par rapport à l'Italie, tandis que le Maroc reflète en moyenne une situation médiane. Mais les écarts entre les plus petites et les grandes régions sont plus accentués dans le cas de l'Afrique du Sud suivie de l'Espagne ;
- L'analyse démontre des corrélations intéressantes :
  - D'abord entre le nombre de régions : plus le nombre de régions est élevé, plus il y a moins d'homogénéité entre les régions ; l'exemple de l'Afrique du Sud vs Italie (9 régions, contre 19 Italie et 18 Espagne). Le Maroc est plus au moins équilibré par rapport aux pays étudiés ;

– Des corrélations entre la superficie, la population et le PIB : Dans certains pays, une région ayant une grande superficie est souvent associée à une population réduite, à une faible création de richesse et à une contribution limitée au produit intérieur brut (PIB) (Chili, Maroc, Afrique du Sud) ;

• Les principes de l'homogénéité et de l'équilibre entre les régions ne sont pas confirmés par l'étude de benchmark.

Conclusion

À partir de cette analyse, il ressort une grande variabilité entre les pays en termes d'indicateurs communs retenus. En effet, le Maroc et le Chili présentent des disparités significatives en termes de population, d'urbanisation, de densité, de PIB et de superficie. Cela conduit à une forte concentration économique et démographique qui peut entraîner des défis en termes de développement régional équilibré.

En revanche, l'Italie et l'Espagne présentent des répartitions plus équilibrées de la population totale, de l'urbanisation, de la densité, du PIB et de la superficie, ce qui peut indiquer une gestion plus uniforme des ressources et des infrastructures. Le cas de l'Afrique du Sud montre des disparités modérées à significatives, particulièrement en termes de PIB et de densité, animant ainsi des régions avec des niveaux variés de développement.

Cette analyse met en évidence, selon le découpage régional adopté, les défis spécifiques auxquels chaque pays est confronté en matière de gestion régionale et de développement économique et souligne l'importance de mettre en place des stratégies de développement permettant de réduire davantage les disparités régionales.

Subséquemment, la définition précise et les caractéristiques du découpage régional dépendent du contexte spécifique de chaque pays ou région. Chaque pays adopte son propre découpage régional en fonction de diverses spécificités, notamment géographiques, historico-culturelles, politico-économiques, ou administratives. Ces découpages régionaux peuvent varier en taille, en nombre de régions et en critères utilisés pour les délimiter.

L'examen des expériences de ces quatre pays a bien reflété cette diversité dans le choix des critères de découpage utilisés pour définir une région. Certains pays peuvent la définir en fonction de facteurs économiques, tels que les principales industries, les vocations économiques des territoires, les ressources naturelles, tandis que d'autres peuvent la définir en fonction des critères culturels ou linguistiques, démographiques, nombre de pôles, etc.

Ainsi, le découpage régional d'un pays est souvent le résultat d'un compromis entre divers intérêts et facteurs, et peut évoluer au fil du temps en réponse aux changements démographiques, économiques ou politiques.

CHAPITRE 3
LA DIMENSION DÉMOGRAPHIQUE : LEVIER MAJEUR DU DÉVELOPPEMENT TERRITORIAL

Introduction

La composante démographique reste l'un des déterminants essentiels pour la construction de la région de demain. Eu égard à son poids dans le choix des politiques publiques, la dimension démographique devrait être approchée en tant que facteur majeur pour aider les décideurs à l'échelle régionale et nationale à prendre les décisions idoines en vue d'orienter l'essor des territoires. Cette prise de conscience est de nature à permettre aux régions d'assurer une croissance économique soutenue, compatible avec le poids démographique des territoires et les autres composantes sociales et environnementales.

En effet, depuis le découpage régional de 1997, assurer un minimum d'équilibre du poids démographique des régions a été une question importante (Badri, 2020). Le territoire marocain est caractérisé, sous le poids des facteurs naturels et historiques, par une répartition inéquitable de la population. Pour un souci politique et de développement, mais aussi de gouvernance et d'équité territoriale, l'équilibre démographique dans le découpage régional est une question cruciale. Au niveau politique, le nombre de la population conditionne celui des sièges au conseil régional, et qui varie entre un minimum de 33 élus pour les régions ayant moins de 250 000 habitants et un maximum de 75 élus pour les régions ayant plus de 4,5 millions d'habitants. Ce taux reflète de grandes disparités régionales ; ce qui ne peut pas assurer une équité territoriale.

De plus, en matière de développement, il est essentiel de prendre en compte la densité démographique des régions. Certaines, étant plus peuplées et générant davantage de richesses économiques, nécessitent des politiques publiques mieux adaptées à leur taille, contrairement aux régions moins peuplées.

1. La dimension démographique dans la construction régionale au Maroc

Selon Richardson (1973), il n'y avait pas de mode unique optimal de partition de l'espace. Toute régionalisation renvoie à une théorisation et à des problèmes, comme disait Boisvert (1981).

C'est ainsi que le découpage régional doit reposer sur des critères et des fondements, susceptibles d'apporter des solutions aux problèmes que reflète le territoire. Ils peuvent être des critères d'homogénéité, d'opérationnalité et de fonctionnalité, choisis en relation avec la nature des problèmes à étudier.

Dans le cas marocain, le grand problème territorial est le déséquilibre démographique et économique qui existe entre des espaces centraux attractifs économiquement et denses démographiquement et d'autres périphériques moins attrayants et peu peuplés. Cette réalité a été largement citée dans différents rapports. Le Schéma National d'Aménagement du Territoire (SNAT, 2002) a souligné le déséquilibre territorial qui est dû, entre autres, à un déséquilibre démographique entre les différents territoires. Dans le rapport prospective Maroc 2030, le Haut-Commissariat au Plan (2014) affirme que la population du Maroc se caractérise par des disparités géographiques croissantes de peuplement ; et elle est inégalement répartie par régions. Dans le rapport 50 ans de développement humain, perspective 2025, la même remarque revient, dans laquelle les auteurs affirment que les disparités entre les régions ne concernent pas uniquement la répartition de la population, mais elles sont également perçues au niveau de ses composantes. Cela se répercute sur le développement économique du pays eu égard à l'importance de la variable démographique dans le développement économique et social (CERED-HCP/ rapport p.9, p47).

C'est ainsi que les actions du découpage territorial doivent absolument faire face à ce problème majeur. L'importance des interactions qui existent entre la population et le développement territorial a été reconnue depuis la Conférence mondiale sur la Population, tenue à Bucarest en 1974.

L'analyse faite par El Bouhali (2012) révèle que la « variable population » est essentielle au succès de tout système de découpage territorial. Cependant, celle-ci n'a pas été suffisamment prise en compte ni directement consultée avant le découpage, même par le biais de simples sondages d'opinion. La nature, l'origine et l'appartenance ethnique et communautaire sont des facteurs déterminants dans le cadre de l'adhésion des populations. Cette constatation montre à quel point la dimension « population » est très importante dans tout découpage régional.

Le premier découpage régional au Maroc remonte à 1971. Selon le Dahir (Loi) relatif à l'organisation de la région au Maroc du 16 juin 1971, notamment l'article 2, la région est définie comme un ensemble de provinces qui, sur les plans tant géographiques, qu'économiques et sociales, entretiennent ou sont susceptibles d'entretenir des relations de nature à stimuler leur développement, et de ce fait, justifient un aménagement d'ensemble. C'est ainsi que la région n'est qu'un cadre d'action économique dans lequel les études seront entreprises et des programmes réalisés en vue d'un développement harmonieux et équilibré des différentes parties du Royaume».

Avec le Dahir n° 1-97-84 du 2 avril 1997, portant promulgation de la loi n° 47-96 relative à l'organisation de la région, le Maroc adopte une nouvelle organisation régionale, cadrée par la constitution (article 26) et basée sur un découpage composé de seize (16) régions.

La région n'est plus un cadre d'action économique, mais plutôt un espace de débat, de concertation et de formation à la chose publique ; et deviens un instrument essentiel et novateur du développement économique et social.

Conformément à l'article 146 de la constitution, la région assure un rôle prééminent par rapport aux autres collectivités territoriales en matière d'élaboration et de suivi des Programmes de Développement Régionaux (PDR) et des Schémas Régionaux d'Aménagement des Territoires (SRAT), tout en respectant les compétences propres de chaque collectivité. Selon l'article 3 de la loi organique n° 111-14, la région est une collectivité territoriale de droit public, dotée de la personnalité morale, de l'autonomie administrative et de l'autonomie financière. Le découpage adopté repose sur 12 régions.

Si la région a connu une nette évolution depuis 1971 dans sa définition et ses missions, qui sont bien définies et déclarées par le décideur, les critères de découpage ne sont pas dévoilés. Dans ce chapitre, la question principale porte sur les critères de découpage ; quelle place occupe la dimension démographique dans les différents découpages régionaux ?

Ce troisième chapitre s'attachera à étudier le critère démographique dans les différents découpages ; de voir quelle configuration démographique pour chaque région ? Et de savoir s'il y a une méthode adéquate pour définir un seuil ou une taille optimale de la population régionale, susceptible d'assurer un découpage régional équilibré sur le plan démographique ?

2. Le facteur démographique dans la logique des découpages régionaux au Maroc

Comme dans beaucoup de pays, la région repose sur un cadre spatial et démographique. En France, la région, selon Piercy (1997), est une mosaïque culturelle, économique, et démographique. Pour sa part, Belhedi (2011), en analysant la régionalisation en Tunisie, affirme que la région n'est pas seulement une étendue spatiale matérielle, réduite à son support spatial et aux ressources qu'elle recèle, mais elle est avant tout une construction sociale. La notion de la population est toujours présente. Enfin, Kostrubiec (1982) dans son essai sur l'expérience régionale en Pologne a souligné que la démographie est l'un des facteurs les plus importants généralement pris en considération dans une régionalisation économique.

Au Maroc, le premier découpage de 1971 (régions économiques) a intégré la dimension démographique, mais uniquement au niveau de l'indicateur de la densité rurale et non pas le poids démographique des régions. L'analyse de la loi du 16 juin 1971 permet de constater que les critères du découpage régional, composé de 7 régions tel que défini dans le projet de découpage du Royaume en région économique (1969)[6], se fondent sur plusieurs éléments :

- Le rayonnement des villes ;
- Les bassins hydrauliques, et les conditions naturelles (climat et relief);
- Les potentialités d'irrigation;
- La densité de la population rurale;

6. Secrétariat d'État au Plan et à la formation des cadres, projet de découpage du royaume en région économique, micro-film, disponible, sur http://www.abhatoo.net.ma/content/download/39331/858681/version/1/file/PROJET+DE+DECOUPAGE+DU+ROYAUME+EN+REGIONS+ECONOMIQUES.pdf

• Le trafic ferroviaire ;

• La circulation routière ;

• La valeur ajoutée industrielle.

Sur le plan démographique, ce découpage a révélé une répartition de la population comme suit :

Tableau 5 : Répartition de la population marocaine selon le découpage de 1971

Région	% du territoire national	% Population marocaine	% Population rurale/ ruraux Marocains	% Population urbaine/ citadins Marocains	Densité hab./ km²
Centre	31,11	25,75	37,79	19,23	102,52
Nord-Ouest	9,03	19,48	24,32	16,86	97,32
Tensift	9,57	15,93	10,86	18,68	59,10
Centre-Nord	10,57	12,31	8,88	14,16	43,05
Sud	24,61	11,12	3,91	15,02	11,97
Centre-Sud	6,70	8,16	7,59	8,47	11,11
Oriental	8,41	7,25	6,65	7,57	22,96

Source : Direction de la statistique, RGPH 1971.

Partant de ce tableau, le découpage régional a démontré le déséquilibre de la population à la fois :

• Sur le plan de la taille démographique des régions : la région de Casablanca (Centre) abritait une densité humaine 10 fois plus importante que la région du Sud (provinces situées au sud d'Agadir) ou du Centre-Sud (Draa Tafilalet) ;

• Au niveau de la répartition de la population, deux régions (Centre et Nord-Ouest) regroupent plus de 62 % de la population rurale du pays. À part la région du Centre (Casablanca), toutes les régions sont marquées par un taux de ruralité très élevé, supérieur à 56 %, et qui peut atteindre 87 % (cas de la région sud).

Il s'avère que le découpage proposé n'a pas essayé d'instaurer une planification territoriale visant à rééquilibrer le territoire marocain. Depuis le protectorat, l'espace marocain est marqué par une forte concentration des populations et des activités économiques au niveau de la région du Centre et du Nord-Ouest, alors que le Sud, l'Oriental et le Sud-Est sont peu peuplés. Les sept régions économiques n'ont constitué qu'un assemblage des provinces pour créer un cadre de région-programme. Elles n'avaient pas de missions décisionnelles ou de gestion. Elles ne sont consultées que pour la réalisation des plans de développement régionaux.

Le découpage de 1997 constitue un changement puisque les nouvelles régions épousent mieux les réalités humaines et économiques, voire historiques, de l'espace marocain (Berriane, 2015). Ce découpage s'est basé sur des critères relavant, selon Bellaoui (2009, 89), de :

- La sphère géopolitique et historique liée surtout aux exigences de l'intégration nationale, surtout pour les régions du sud marocain saharien ;
- La sphère économique et la polarisation des grandes villes ;
- La sphère géographique surtout l'appartenance aux dimensions atlantique, montagnarde et méditerranéenne.

Sur le plan démographique, et en se basant sur l'annuaire statistique de la même année du découpage (1997), la répartition de la population se présente comme suit :

Tableau 6 : Indicateurs démographiques du découpage de 1997

Régions	% du territoire national	% de la population totale	% Population urbaine/ citadins Marocains	% Population rurale/ ruraux Marocains	Densité hab./ km²
Grand Casablanca	0,20	11,85	21,41	1,00	2004,33
Rabat-Salé-Zemmour-Zaer	1.19	7.78	11.74	3.28	221.71
Tanger-Tétouan	1,44	7,95	8,62	7,20	187,73
Doukkala-Abda	1,78	6,80	4,58	9,32	130,00
Chaouia-Ouardigha	2.08	5.83	4.34	7.52	94.99
Marrakech Tensift Al Haouz	3,88	10,37	7,17	14,00	90,89
Tadla-Azilal	2.13	5.03	3.30	6.99	80.23
Taza-Al Hoceïma-Taounate	3.00	6.46	2.75	10.68	73.07
Gharb-chrarda Beni Hssen	1,10	2,31	4,68	8,07	71,66
Fès-Boulmane	2,46	5,18	6,90	3,24	71,53
Souss-Massa-Drâa	8,82	10,21	7,06	13,79	39,35
Meknès-Tafilalet	9.85	7.26	7.15	7.38	25.03
Oriental	10,31	6,66	7,21	6,05	21,95
Guelmim-Essmara	16,63	1,48	1,61	1,34	3,03
Laâyoune-Boujdour-Sakia El Hamra	**17.35**	**0.70**	1.24	0.09	1.37
Oued Eddahab Lagouira	**17,77**	**0,15**	0,23	0,06	0,29

Source : HCP, Annuaire statistique du Maroc 1998

Avec le découpage de 1997, le déséquilibre démographique entre des régions est amplifié entre des régions denses et peuplées et des régions peu peuplées. Trois régions du Maroc (Grand Casablanca, Marrakech-Tensift Al Haouz et Souss-Massa-Drâa) englobent plus de 32 % de la population du pays. En effet, la région du Grand Casablanca enregistre une forte densité supérieure à 2000 habitants/km² alors que les autres régions ont une densité inférieure à 200 habitants/km², et peut atteindre moins 3 % pour les trois régions sahariennes.

Au niveau de la répartition de la population, on peut avancer les situations suivantes :

- Le cas de la région Grand Casablanca, où la population urbaine constitue plus de 20 % de la population urbaine du pays, et où les citadins représentent 96 % de la population régionale ;
- Les régions à forte urbanisation, notamment le cas de Rabat-Salé-Zemmour-Zaïr et Fès-Boulamène, où la population urbaine varie entre 70 et 81 % ;
- Les régions de Laâyoune-Boujdour-Sakia Lhamera et Oued Eddahab-Lagouira, où la population totale est inférieure à 1 % de la population marocaine, mais les citadins constituent plus de 80 % ;
- Les régions peuplées de ruraux, notamment Meknès-Tafilalet, Chaouia Ouardigha, Souss-Massa-Drâa, Doukkala-Abda, Tadla-Azilal et Taza-Al Hoceïma-Taounate, où le taux des ruraux est supérieur à la moyenne nationale.

Ce découpage renvoie à une nouvelle réalité territoriale, il est constitué des ensembles régionaux reflétant les particularités historiques et tribales et s'est basé sur un grand nombre de régions (16 régions). Sa particularité résidait dans l'importance du critère de polarisation des grandes villes. Mais le traçage final des limites régionales n'a pas atténué les déséquilibres démographiques des populations, concentrées dans l'axe Tanger-Al Jadida.

En 2015, sur la base du rapport de la CCR, qui avait déjà défini des critères de découpage qualifiés d'objectifs, principalement fondés sur la fonctionnalité économique, l'existence de pôles de développement intégré, ainsi que sur les relations et interactions dynamiques, actuelles et prévisibles entre les populations concernées, une nouvelle organisation régionale a été adoptée. Ainsi, le rapport a défini les critères et les règles du découpage, qui se résument dans :

- L'efficience ;
- L'accumulation sur l'existant ;
- L'homogénéité ;
- La fonctionnalité ;
- L'accessibilité et la proximité ;
- La proportionnalité et l'équilibre.

Toutefois, le rapport souligne l'existence d'un déséquilibre démographique entre deux domaines répartis par la ligne allant de Sidi Ifni à Taza :

- Le domaine atlasique atlantique, méditerranéen et intermédiaire, qui abrite 87 % de la population. Il est constitué de zones de plaines, de plateaux et partiellement de montagne. Ils bénéficient d'apports d'eau et se caractérisent ainsi par de très fortes densités humaines et d'une armature urbaine importante ;
- Le domaine semi-désertique à Saharien au Sud, Sud-Est et Nord-Est qui compte seulement 13 % de la population. Il est marqué par des conditions très contraignantes de relief et de climat et se caractérise aussi par des milieux

naturels fragiles, un peuplement peu dense et une faible urbanisation.

Sur le plan démographique, la configuration humaine du découpage de 2015 se dresse comme suit :

Tableau 7 : Indicateurs démographiques du découpage de 2015

Régions	% superficie nationale	% total	% urbain	% rural	Densité hab./km²
Casablanca-Settat	2.74	20.27	24.72	13.50	352.82
Marrakech-Safi	5,51	13,36	9,48	19,25	115,41
Fès-Meknès	5,64	12,52	12,55	12,47	105,72
Tanger-Tétouan Al Hoceïma	2,43	10,51	10,43	10,62	206,04
Souss-Massa	7,57	7,91	7,37	8,73	49,77
Béni-Mellal-Khénifra	5,77	7,45	6,06	9,56	61,43
Oriental	12,68	6,84	7,41	5,97	25,68
Draâ-Tafilalet	16,26	4,83	2,74	8,01	14,14
Rabat-Salé-Kénitra	2.56	1.42	15.66	10.30	26.43
Guelmim-Oued Noun	6,49	1,28	1,37	1,15	9,41
Laâyoune-Sakia El Hamra	19.70	1.09	1.68	0.18	2.63
Dakhla-Oued Eddahab	18,41	0,42	0,52	0,27	1,09

Source : HCP 2014.

D'après le tableau, la population est concentrée dans quatre régions : Marrakech-Safi, Fès-Meknès, Tanger-Tétouan-Al Hoceima et Casablanca-Settat. Cette dernière abrite plus de 1/5 de la population nationale, bien qu'elle ne constitue que 2,74 % de la superficie du territoire national. C'est aussi la région qui abrite ¼ de la population urbaine du pays et enregistre ainsi la densité la plus élevée (352,8 %), sept fois la moyenne nationale.

En revanche, les trois régions du Sud et celle de Draa-Tafilalet enregistrent des densités très faibles inférieures à 15 hab./km² et peuvent atteindre 1 hab./km² (cas de Dakhla-Oued Eddahab), alors que ces quatre régions représentent plus 57 % du territoire national.

Partant de ce qui précède, il s'avère que le critère démographique est peu prononcé dans les découpages effectués au Maroc. Le décideur considère des critères d'ordre politique, géographique, historico-culturel et de polarisation des villes. C'est ainsi que les différents découpages se caractérisent par des déséquilibres importants de la population.

La composante démographique est manifestement déterminante dans la promotion du développement équitable des territoires et, partant, elle joue un rôle décisif dans la conception d'un découpage régional équilibré qui répond aux exigences culturelles, socio-économiques, politiques et historiques. Ainsi, la question qui se pose est d'ordre méthodologique ; comment atteindre un découpage basé sur des critères démographiques et qui peut déboucher sur une répartition équilibrée de la population sur le territoire national ?

Dans ce contexte, les travaux menés par les organismes de développement économique, en l'occurrence l'OCDE, montrent l'importance de la démographie dans la définition des territoires et des politiques publiques adaptées. Au vu des enjeux et des objectifs de développement durable, la localisation avec précision de la population est devenue une préoccupation majeure tant pour les pouvoirs publics régionaux que locaux. En effet, Hallot et al. (2019) ont confirmé que « la connaissance de la densité de la population est très utile pour apprécier et répondre à de nombreux problèmes sociaux, politiques, économiques et environnementaux ».

La démarche de l'OCDE constitue un cadre de référence théorique adapté pour la typologie régionale des pays de l'OCDE et permettant de mettre en évidence les principaux facteurs du développement des régions. La méthode adoptée par l'OCDE confirme l'importance de la dimension démographique, particulièrement la densité et la distribution de la population, notamment rurale, pour mieux cerner la planification territoriale au niveau infranational. Mais aussi pour choisir l'unité territoriale la plus appropriée permettant à même d'élaborer des politiques publiques territoriales et établir une classification régionale.

3. Méthode de l'OCDE et son adaptation au contexte marocain

La démarche entreprise, pour approcher cette dimension démographique, ne remet pas en question les différents découpages régionaux, mais s'attachera à examiner l'importance accordée aux critères démographiques. Il sera question de suivre une approche historique pour mieux cerner l'évolution des critères de découpage et pour vérifier l'existence ou non des indicateurs à caractère démographique dans les différents découpages.

L'approche statistique et cartographique a permis d'apprécier la dimension démographique dans chaque découpage. Cette approche qualitative, basée sur une analyse descriptive des données, a permis également de voir si la décision de découpage du territoire national reflète un souci d'homogénéisation de l'espace sur le plan démographique, susceptible d'assurer un équilibre socioéconomique des territoires.

Par ailleurs, la situation démographique de chaque découpage a été examinée à l'aide d'une analyse descriptive des données statistiques. En outre, des méthodes testées au niveau international sont appliquées pour découper l'espace en fonction de critères démographiques. Le choix porte sur la démarche de l'OCDE et son application au découpage régional adopté en 2015.

Ce choix se justifie par l'ampleur du travail accompli par l'OCDE dans de nombreux pays. De plus, la méthode retenue reste adaptée aux particularités du territoire marocain, caractérisé par l'étendue de son espace et le poids de sa population rurale, des éléments pleinement pris en compte dans la démarche de l'OCDE. Partant du souci de savoir comment un découpage optimal pourrait aider à assurer un développement équilibré des régions, il demeure important de définir un seuil ou une moyenne démographique raisonnable. L'application de cette méthode sur le cas marocain peut mesurer les disparités démographiques entre les territoires selon le découpage régional actuel.

En effet, ce travail sera consacré à la vérification de l'hypothèse suivante : les critères démographiques, à savoir la densité de la population et le pourcentage de population qui vit dans une collectivité rurale, permettraient un découpage équilibré (critère d'homogénéité spatiale), ce qui contribuera à assurer un ciblage optimum des politiques publiques selon les régions.

Étant donné que le contexte marocain marqué par l'importance de la ruralité dans certains territoires et en s'inspirant des travaux de l'OCDE, il a été considéré qu'une région optimale sur le plan démographique doit atteindre un poids humain et une densité rurale chiffrée. Ainsi, le poids de la population rurale, utilisée à hauteur de 40 % de ruraux[7] (taux moyen national de la population rurale), est très décisif dans la construction de la région de demain. D'autant plus que la dimension ruralité peut donner une autre lecture de la typologie des régions et donc permettrait d'améliorer le ciblage des interventions de l'État. C'est pour cette raison que la démarche de l'OCDE a été choisie pour établir une classification des territoires en fonction des critères retenus et montrer que la dimension démographique abordée sous cet angle constitue l'une des conditions incontournables pour la définition de la taille d'une région et le ciblage des politiques publiques les plus appropriées.

La démarche l'OCDE a été testée en se basant sur le dernier découpage de 2015 composé de 12 régions. En effet, l'OCDE a adopté une méthode de délimitation de l'espace européen visant à classer les régions de chaque pays membre en deux niveaux territoriaux. Le niveau supérieur (territorial 2 [TL2]) regroupe de grandes régions, tandis que le niveau inférieur (territorial 3 [TL3]) comprend des régions plus petites. Les principes de cette démarche sont précisés dans les travaux de l'OCDE, qui a établi une typologie régionale distinguant plusieurs types de régions :

- Les régions essentiellement urbaines (EU),
- Les régions essentiellement rurales (ER) et
- Les régions intermédiaires (IN).

Cette typologie, fondée sur la répartition de l'habitat mesurée au pourcentage de la population régionale qui vit dans les collectivités rurales, permet de comparer utilement les régions relevant d'une même catégorie. La démarche proposée par l'OCDE repose sur trois critères :

---

7. Le monde rural recèle 43 % des actifs du pays (note du HCP relative aux principales caractéristiques de la population active occupée en 2018).

- Le premier définit les collectivités rurales par la densité de leur population. Est considérée comme rurale toute collectivité dont la densité démographique est inférieure à 150 habitants au kilomètre carré (500 habitants au Japon et en Corée pour tenir compte du fait que la densité de population au niveau national dépasse 300 habitants au kilomètre carré).

- Le deuxième critère classe les régions en fonction du pourcentage de population qui vit dans une collectivité rurale. Ainsi, une région TL3 peut être :
  - Essentiellement rurale (ER) si plus de 50 % de sa population vit dans une collectivité rurale ;
  - Essentiellement urbaine (EU) si moins de 15 % de sa population vit dans une collectivité rurale ;
  - Intermédiaire (IN) si la part de sa population qui vit dans une collectivité rurale est comprise entre 15 % et 50 %.

- Le troisième critère se fonde sur la taille des centres urbains :
- Une région qui serait considérée comme rurale selon la règle générale est classée dans la catégorie intermédiaire si elle comprend un centre urbain de plus de 200 000 habitants (500 000 pour le Japon) représentant au moins 25 % de la population régionale ;
- Une région qui serait considérée comme intermédiaire selon la règle générale est classée dans la catégorie essentiellement urbaine si elle comprend un centre urbain de plus de 500 000 habitants (1 000 000 pour le Japon) représentant au moins 25 % de la population régionale.

La typologie régionale n'est appliquée qu'au niveau territorial inférieur (TL3). Les régions TL2 sont trop étendues pour que l'on puisse les classer comme essentiellement urbaines, intermédiaires ou essentiellement rurales.

Aux fins de l'analyse, on a cependant calculé le pourcentage de la population entrant dans les catégories EU, IN et ER au niveau TL2 en additionnant les résultats obtenus selon la typologie régionale appliquée au niveau TL3. Par exemple, en France, la population de la région Rhône-Alpes (niveau TL2) se répartit ainsi : 23 % dans des régions TL3 classées EU, 68 % dans des régions TL3 classées IN et 9 % dans des régions TL3 classées ER.

Le recours à cette méthode se justifie par les raisons suivantes :

1. L'examen de différentes expériences en matière de définition des critères de découpage montre qu'il n'existe pas une démarche scientifique unique valable pour tous les pays. Incontestablement, vu les différences existantes entre les pays au niveau humain, économique et territorial, la méthode de l'OCDE est parmi les rares méthodes qui ont défini un seuil du poids démographique pour procéder à des découpages territoriaux ;
2. Il n'existe pas de méthodes adoptées au niveau international pour un découpage régional, la démarche qui a pu classer les régions est celle élaborée par l'OCDE en 2011. Elle peut être testée dans le cadre de la présente étude ;
3. Les critères basés sur « la ruralité » peuvent s'appliquer au Maroc, étant entendu qu'une part importante de sa population rurale contribue fortement au développement économique du pays, du fait du poids du secteur agricole qui constitue une source de revenus pour 80 % de la population rurale et emploie 40 % de la population active[8] ;

---

8. https ://www.ada.gov.ma

4. La disponibilité des données démographiques au niveau de chaque région et province selon le Recensement Général de la Population et de l'Habitat de 2014 réalisé par le Haut-Commissariat au Plan (HCP) ;
5. Selon la typologie régionale utilisée, le critère du nombre d'habitants/km² peut renseigner sur les régions considérées comme rurales, mais ce critère de 150 habitants/km², varie selon les pays et peut influencer la classification proposée des régions. L'application de ces moyennes et ces taux pour le cas marocain est peu compatible, mais l'exercice demeure intéressant et le seuil peut être changé pour qu'il soit compatible avec la réalité démographique marocaine en se basant sur la densité moyenne marocaine (environ 48 habitants/km²) et la ruralité au lieu des moyennes mondiales définies dans la méthode de l'OCDE. Le contexte et le milieu d'opérationnalisation de cette typologie ne sont pas les mêmes au sein des pays de l'OCDE.

4. Critères, résultats et limites

Sur la base des données disponibles au niveau des régions et provinces, il a été procédé à une classification des régions. Le choix s'est limité uniquement aux deux premiers critères adoptés par l'OCDE à savoir :

- La densité de la population ;
- Le pourcentage de population qui vit dans une collectivité rurale.

Le troisième critère se fondant sur la taille des centres urbains n'a pas été pris en compte, vu l'indisponibilité des données à ce niveau.

4.1. Premier critère (densité inférieure à 150 hab./km²)

- Application de la méthode de l'OCDE

Par rapport au premier critère qui définit les collectivités rurales par la densité de leur population, est considérée comme rurale toute collectivité dont la densité démographique est inférieure à 150 habitants au kilomètre carré (500 habitants au Japon et Corée pour tenir compte du fait que la densité de population au niveau national dépasse 300 habitants au kilomètre carré).

Figure 2 : Nombre de collectivités (provinces) rurales et urbaines par région selon la densité de population (150 h/km² [OCDE])

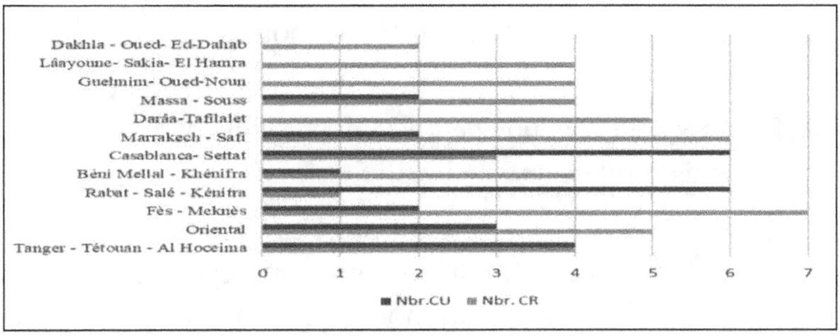

Source : élaboration par l'auteur, données du Haut-commissariat au plan.

L'application du critère de l'OCDE (Figure 2) aux collectivités dont la densité démographique est inférieure à 150 habitants par kilomètre carré, au niveau territorial inférieur (TL3) correspondant à la province ou à la préfecture, révèle que :

- La totalité des provinces et préfectures des quatre régions : Guelmim-Oued-Noun, Lâayoune-Sakia El Hamra, Dakhla-Oued Ed-Dahab et Drâa-Tafilalet ont des densités inférieures à 150 hab./km². Elles sont considérées comme des collectivités rurales selon le critère adopté par l'OCDE. Mais, économiquement, ces régions ont des profils très différents.

La région de Fès-Meknès dispose de 7 provinces considérées comme collectivités rurales, suivies des régions de Marrakech-Safi avec 6 provinces et de l'Oriental avec 5 provinces considérées comme collectivités rurales.

La région de Béni Mellal-Khénifra ne dispose que d'une province considérée comme collectivité urbaine et de 4 provinces considérées comme collectivités rurales.

La région de Rabat-Salé-Kénitra et celle de Casablanca-Settat ne disposent respectivement que d'une seule province (Khémisset) et de 3 provinces considérées comme collectivités rurales (Benslimane, Settat et Sidi Bannour).

La région de Tanger-Tétouan-Al Hoceima et celle de Souss-Massa disposent chacune de 4 provinces considérées comme collectivités rurales.

Bien que les trois régions Casablanca-Settat, Rabat-Salé-Kénitra et Tanger-Tétouan-Al Hoceima disposent de métropoles importantes, elles abritent au moins une province considérée comme collectivité rurale.

- Adaptation de la méthode de l'OCDE au contexte marocain

Si on utilise la densité moyenne de la population à savoir 48 habitants/km², et on applique le même raisonnement que celui adopté par l'OCDE ; elle est considérée comme rurale par toute collectivité dont la densité démographique est inférieure à 48 habitants au kilomètre carré en se référant à la moyenne nationale de 2014. Ainsi, on obtient la répartition suivante :

Figure 3 : Nombre de collectivités (provinces) rurales et urbaines par région selon la densité de population (48 hab./km² (moyenne nationale)

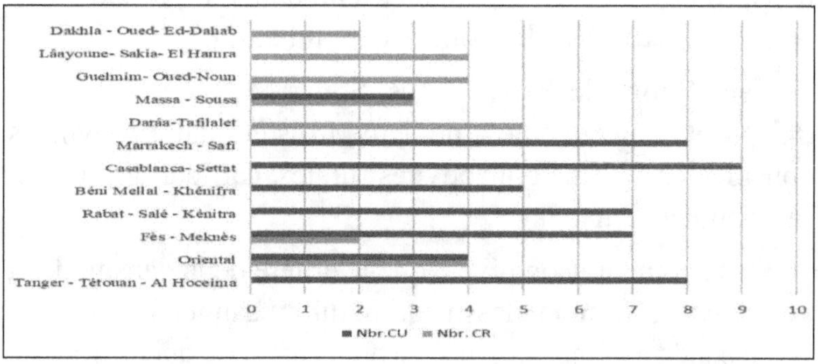

Source : élaboration par l'auteur, données du Haut-commissariat au plan.

Cette figure montre qu'avec une densité moyenne nationale de 48 hab./km², les résultats obtenus sont les mêmes que ceux de la densité de 150 hab./km² en ce qui concerne les provinces considérées comme collectivités rurales. Il s'agit des provinces et préfectures des régions sahariennes Sud-Atlasique (Draa -Tafilalet, Guelmim Oued Noud, Laayoune Sakia El Hamra, Dakhla Oued Eddahab) qui ont des densités inférieures à 48 hab./km². Ces régions sont considérées ainsi des collectivités rurales selon la démarche de l'OCDE. D'autres provinces enregistrent aussi des densités inférieures à ces taux, notamment dans l'Oriental, la région Fès-Meknès et celle de Souss Massa.

D'autres provinces se situent entre la moyenne nationale de 48 hab./km² et celle de l'OCDE (150 hab./km²), notamment dans la région Marrakech-Safi, Fès-Meknès, les provinces ayant les densités les plus élevées sont celles situées entre El Jadida et Tanger avec des bandes étroites et des ilots dans le Nord-Est (Nador, Oujda), Marrakech, Fès et Meknès. La carte ci-après illustre cette répartition de la densité.

En revanche, les régions de Casablanca-Settat, de Rabat-Salé-Kénitra, de Tanger-Tétouan-Al Hoceima et de Marrakech-Safi, et la région de Beni Mellal-Khénifra enregistrent des densités provinciales supérieures à 48 hab./km², et sont donc considérées comme des collectivités urbaines.

Les régions de Fès-Meknès, Souss-Massa et l'Oriental disposent respectivement de deux, trois et quatre provinces considérées comme collectivités rurales, car leur densité est inférieure à 48 hab./km².

Cette comparaison révèle que le critère de la densité de la population offre une classification du niveau territorial LT3, correspondant ici aux provinces et préfectures. Ce qui a permis de déterminer les provinces considérées comme collectivités rurales et celles classées en collectivités urbaines. Par conséquent, ce critère peut renseigner sur les régions qui ont des provinces à dominance rurale et celles qui sont urbaines, et permettant ainsi de procéder à des comparaisons au sein d'une même région. Mais, il ne constitue pas une norme standardisée qui peut être adoptée par tout, car la densité de la population par km² dépend à la fois des régions et des pays.

Le critère démographique, notamment la densité de la population par km², demeure déterminant pour un découpage régional optimal. Son importance réside dans la classification des provinces/préfectures en fonction de la ruralité. Il peut aider les décideurs et les élus à concevoir les politiques publiques territoriales les plus appropriées en considérant la densité de la population lors de la répartition des budgets, des aides allouées par les fonds et les actions prioritaires à mettre en œuvre.

L'application de ce critère du poids démographique (densité provinciale) tend à mettre en évidence deux types de territoires :

- L'un dense et qui se concentre le long de la côte, d'El Jadida à Tanger en plus des ilots démographiques dans le

Nord-Est (Oujda-Nador) et autour des villes historiques de Marrakech, Fès et Meknès et ;

- L'autre sous-peuplé dans les régions sahariennes, présahariennes, montagneuses et oasiennes. Malgré cette faible densité de la population, certaines régions sahariennes ont des richesses très importantes et donc sont potentiellement favorables pour un décollage économique.

Ainsi, en termes des politiques publiques, le découpage régional équilibré du Maroc sur la base du critère de la densité demeure très difficile à atteindre. La carte de la densité ne peut que proposer trois à quatre régions distinctes non équilibrées :

Carte 1 : Densité provinciale et répartition des ensembles démographiques

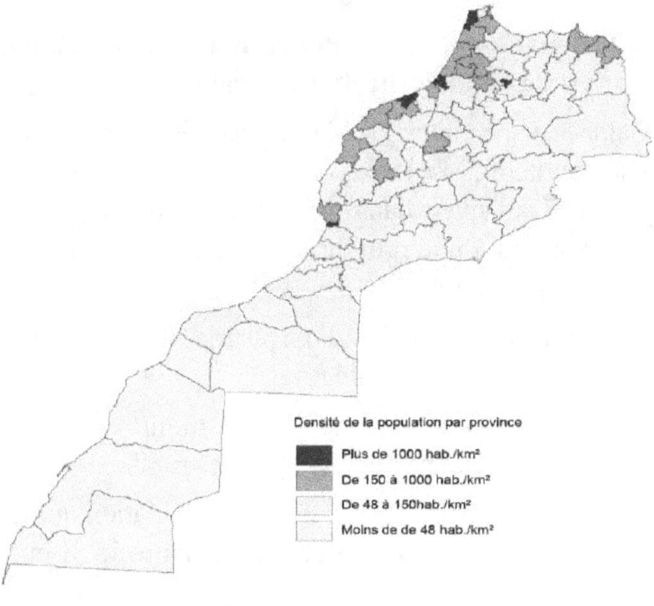

Source : élaboration par l'auteur, données du Haut-commissariat au plan.

- L'ensemble régional démographique autour de Casablanca, qui s'étale de la province d'El-Jadida jusqu'à Tanger en passant par Rabat-Salé. C'est une région très dense, mais aussi très peuplée (plus de ¾ de la population du pays) ;
- L'ensemble régional démographique du Nord-Est autour de Oujda-Nador, auquel peuvent s'ajouter les provinces de l'Oriental ;
- L'ensemble régional autour du bipôle démographique et économique de Fès et Meknès ;
- L'ensemble démographique autour de Marrakech-Agadir ;
- Le reste du territoire Sud-Atlasique et des provinces sahariennes et qui est sous-peuplées avec des densités très faibles. Dans cet ensemble, le fait urbain est limité et caractérisé par le manque d'un pôle démographique.

4.2. Deuxième critère : Pourcentage de population qui vit dans une collectivité rurale

Selon la démarche/typologie régionale établie par l'OCDE, le deuxième critère classe les régions en fonction du pourcentage des populations qui vivent dans une collectivité rurale (niveau LT3, qui correspond à une province/préfecture). Selon ce critère, une région peut être :

- Essentiellement rurale (ER) si plus de 50 % de sa population vit dans une collectivité rurale ;
- Essentiellement urbaine (EU) si moins de 15 % de sa population vit dans une collectivité rurale ;
- Intermédiaire (IN) si la part de sa population qui vit dans une collectivité rurale est comprise entre 15 % et 50 %.
- L'application de ce critère aux 12 régions donne les résultats suivants :

Figure 4 : Répartition des provinces/préfectures par région en fonction de population qui vit dans une collectivité rurale (UR, EU, IN)

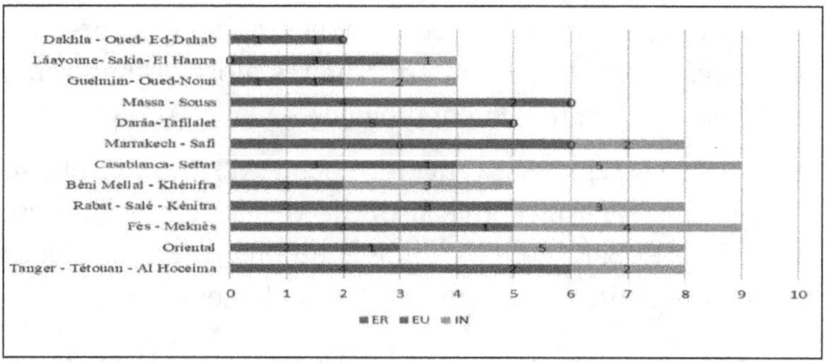

Source : élaboration par l'auteur, données du Haut-commissariat au plan.

Selon la Figure 4, la répartition des provinces/préfectures par région en fonction de population qui vit dans une collectivité rurale s'est établie comme suit :

- Toutes les provinces de la région de Draa-Tafilalet ont plus de 50 % de leurs populations qui vivent dans des collectivités rurales et sont donc classées comme essentiellement rurales (ER) ;
- Au niveau de la région de Béni Mellal-Khénifra, il n'existe pas de provinces classées essentiellement urbaines ; elles sont toutes classées essentiellement rurales (au nombre de deux) et intermédiaires (au nombre de trois) ;
- Dans la région de Marrakech-Safi, six provinces sont considérées comme essentiellement rurales et deux intermédiaires ;
- Dans la région de Souss-Massa, quatre de ses provinces sont classées essentiellement rurales et deux essentiellement urbaines ;

- Au niveau de la région Fès-Meknès, quatre provinces sont classées essentiellement rurales. La province de Taounate a été classée, par l'étude menée dans le cadre du Dialogue Maroc-OCDE (2018) sur les politiques de développement territorial, comme à prédominance rurale éloignée, les autres étant classées intermédiaires alors qu'une seule (Fès) est essentiellement urbaine ;
- Quant à la région de Tanger-Tétouan-Al Hoceima, elle se distingue par la prédominance des provinces essentiellement rurales et par une répartition équilibrée entre provinces intermédiaires et provinces essentiellement urbaines.
- À l'exception de la région de Lâayoune-Sakia-El Hamra, qui ne dispose pas de provinces essentiellement rurales, les cinq régions restantes renferment des provinces intermédiaires ou essentiellement urbaines, avec un nombre très limité de celles essentiellement rurales.

Comme déjà mentionnée, cette typologie n'est appliquée qu'au niveau territorial inférieur (TL3) à savoir les provinces et préfectures. Le graphique suivant illustre le nombre de provinces et leur classification en trois catégories (essentiellement rurales, essentiellement urbaines et intermédiaires) selon le taux de la population qui vit dans une collectivité rurale. Les régions (TL2), pour le découpage de 2015, sont trop étendues pour pouvoir les classer comme essentiellement urbaines, intermédiaires ou essentiellement rurales. Aux fins de l'analyse, le pourcentage de la population classée dans les catégories EU, IN, et ER a été calculé pour les 12 régions en additionnant les résultats obtenus selon la typologie appliquée au niveau TL3 des provinces.

Figure 5 : Population entrant dans les catégories EU, IN et ER au niveau des 12 régions

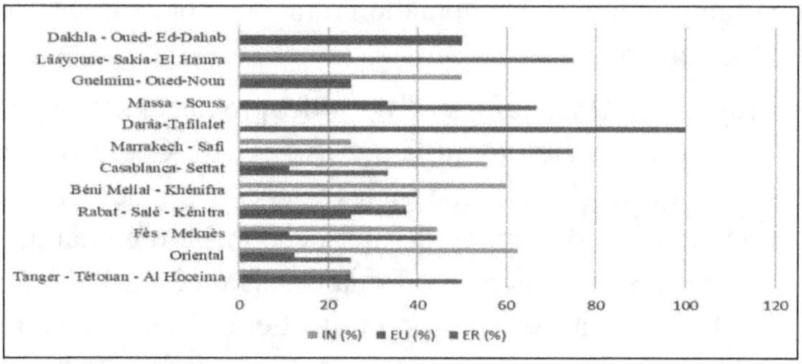

Source : élaboration par l'auteur, données du Haut-commissariat au plan.

Ainsi, la répartition de la population entrant dans les trois catégories pour les 12 régions se présente dans le tableau N° 8.

Tableau 8 : la répartition de la population par catégories ER, EU et IN au niveau des 12 régions

Régions (TL2)	**Niveau TL3**		
	ER (%)	EU (%)	IN (%)
Tanger-Tetouan-Al Hoceima	25	50	25
L'Oriental	25	12,5	62,5
Fès-Meknès	45	11	44
Rabat-Salé-Kénitra	42.86	28.57	28.57
Béni Mellal-Khénifra	40	0	60
Casablanca-Settat	33.33	11.11	55.56
Marrakech-Safi	75	0	25
Drâa-Tafilalet	100	0	0
Souss-Massa	66,67	33,33	0
Guelmim-Oued Noun	25	25	50
Laâyoune-Sakia El Hamra	0	75	25
Dakhla-Oued Ed-Dahab	50	59	0

Source : élaboration par l'auteur, données du Haut-commissariat au plan.

Les résultats obtenus à savoir la population entrant dans les catégories EU, IN et ER au niveau de 12 régions, confirment la part importante de la population rurale vivant dans les trois régions suivantes :

- Région de Drâa-Tafilalet (100 % des provinces se trouvent dans le niveau territorial TL3, classées ER). Cela justifie le débat qui a été déclenché par les acteurs politiques relevant de cette région lors du dernier découpage régional. Ces derniers souhaitaient que Tafilalet soit annexée à Meknès et Drâa à Marrakech. Car Tafilalet et Drâa sont pauvres et à majorité rurale et enregistrent le taux de pauvreté le plus élevé (21,2 %) des 12 régions adoptées ;
- Région de Marrakech-Safi (75 % des provinces se trouvent dans le niveau territorial LT3, classées ER, et 25 % dans le niveau LT3, classées IN).
- Région de Béni Mellal-Khénifra (40 % des provinces se situent dans le niveau TL3, classées ER, et 60 % dans le TL3, classées IN).

4.3. Limites de la méthode et adaptation au contexte marocain

Bien que la démarche de l'OCDE soit essentielle pour la classification des régions, elle présente néanmoins les insuffisances suivantes :

- La méthode de l'OCDE, bien qu'applicable dans de nombreux contextes, révèle certaines limites qui méritent d'être soulignées. En effet, cette approche standardisée, conçue pour être largement utilisable, peut parfois manquer de précision lorsqu'il s'agit de capturer les spécificités locales et régionales. Elle tend à privilégier une vision uniforme, qui peut ne pas refléter la diversité des réalités socio-économiques et culturelles au sein des différentes régions ;

- Cette démarche repose exclusivement sur le critère démographique, en particulier le pourcentage de la population régionale vivant dans les zones rurales. Or, un développement territorial durable exige un découpage régional équilibré, tenant compte de critères économiques, spatiaux, socioculturels et environnementaux.
- Le critère démographique devrait être complété par une analyse des dimensions environnementales et économiques, afin de déterminer la taille optimale d'une région sur une base économique.

Conclusion

Le facteur relatif à la taille des villes ou centres urbains demeure déterminant. Tout territoire est polarisé par une ville ou un centre urbain. Un grand nombre d'études affirme que le territoire n'est pas homogène, mais polarisé (Reynard & Vialette, 2018).

Ainsi, en complétant l'analyse ci-dessus par la taille des pôles régionaux, on obtient une nouvelle configuration démographique légèrement différente de la carte précédente. L'apport de cette démarche réside dans le croisement des données issues de l'approche de l'OCDE avec celles concernant les villes. Ce croisement se fait par le travail cartographique à l'aide d'un système d'information géographique. La carte offre ainsi les régions suivantes :

- En plus des provinces limitrophes des grands pôles urbains et les provinces du Sud, elles se situent toutes dans une région essentiellement urbaine ayant moins de 15 % de la population rurale, bien qu'elles enregistrent de très faibles densités. Malgré ceci, elles n'abritent aucun pôle urbain supérieur à 300 000 habitants ;

- Les provinces moyennement urbanisées (entre 15 et 50 % de la population rurale/population totale) se concentrent dans le Nord-Ouest dans un triangle situé entre Tanger au Nord, Beni Mellal au Sud-Est et Casablanca à l'Ouest. C'est là où on trouve les plus faibles parties des populations rurales, vu l'importance du nombre des villes et centres urbains.
- Les zones à forte ruralité (plus de 50 %) se situent dans les zones défavorables, naturellement à savoir les zones de montagnes et les zones oasiennes, notamment dans le Rif Central, le Tafilalet, le Drâa, le Moyen Atlas et le Haut Atlas.

Partant de la carte, on peut conclure que le découpage régional sur une base démographique pourrait comprendre les régions suivantes :

Carte 2 : Découpage régional sur des basés démographiques

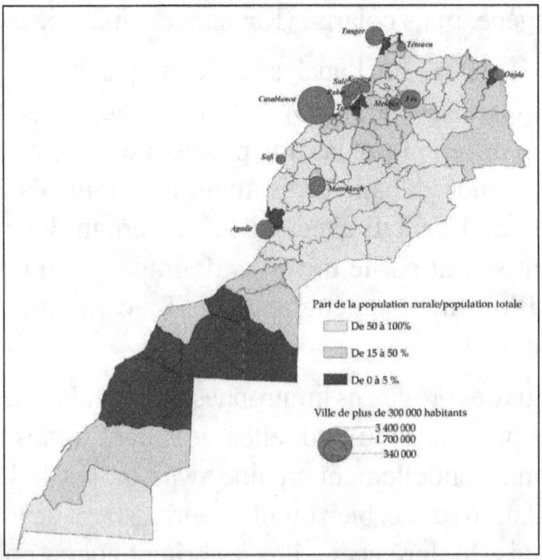

Source : Élaborée par l'auteur, données du Haut-Commissariat au plan.

- Région du Sud qui peut regrouper les provinces du Sud. Ces provinces n'ont pas de capitale régionale, sauf s'elle est reliée à Agadir, qui constitue le pôle démographique régional le plus proche. Elle comprend deux territoires :
  - Territoire à dominance rurale et qui englobe les provinces de la plaine du Souss et de l'Anti-Atlas ;
  - Territoire à faible ruralité (provinces de Laayoune, Boujdour, Essmara, Tarfaya, Tan-Tan, Dakhla, Assa-Zag et Guelmim).
- Région du Centre avec Marrakech comme capitale régionale. C'est une région à dominance rurale et qui s'étend de l'Atlantique jusqu'aux frontières maroco-algériennes. Cette région rurale englobe le Tafilalet, le Drâa, le Haut Atlas, la plaine du Haouz, les Chaiadma, Abda, Doukkala et le plateau des Phosphates avec les provinces des régions Beni Mellal-Khénifra, Draa Tafilalet, Marrakech-Safi.
- Région de l'Oriental avec Oujda comme capitale régionale et qui coïncide avec les provinces ayant une ruralité moins faible que la région précédente. Cette région démographique demeure calquée sur la région administrative actuelle de l'Oriental.
- Région du Centre avec Fès ou Meknès comme capitale. Cette région englobe deux territoires distincts :
  - Au Nord : dans le Rif central et le PréRif où la ruralité domine ;
  - Au Sud, dans le Moyen Atlas et une partie du plateau central où la ruralité est moins importante.
- Région Nord-Ouest avec Casablanca comme chef-lieu. Cette région à dominance urbaine s'étend de Casablanca jusqu'à Tanger. Elle se caractérise par l'importance de la concentration de la population, surtout citadine, et l'existence

d'une série de pôles démographiques (Casablanca, Tanger, Rabat, Kenitra, Salé, Témara).

Mais malgré cette configuration, on trouve des nuances et des particularités au niveau de la même région. Au niveau de la région de Casablanca-Settat, la part de la population qui se trouve au niveau territorial (TL3), classée essentiellement urbaine, ne représente que 11,11 % et presque 56 % classés au niveau (TL3) intermédiaire. Cela explique que, même dans cette région à forte densité, plus de la moitié de sa population vit dans des niveaux intermédiaires entre le rural et l'urbain.

L'exercice fondé sur la démarche de classification régionale de l'OCDE, appliquée aux 12 régions définies dans le découpage régional de 2015, met en lumière plusieurs conclusions importantes :

- En termes du principe, la classification obtenue basée sur le critère démographique permet une meilleure comparabilité entre régions au même niveau territorial et au sein de la même région. De ce fait, les collectivités territoriales, notamment les provinces, peuvent être adoptées comme cadre privilégié pour l'exécution de politiques publiques territorialisées ;
- Les décideurs nationaux et territoriaux devraient prendre en considération la dimension démographique lors de l'élaboration des politiques publiques au niveau territorial pour mieux cibler les régions selon les classifications établies des collectivités (EU, ER, IN).
- En réalité, cet exercice démontre l'importance de l'inégalité de la répartition de la population sur le territoire national, et ce, en liaison avec l'héritage historique, surtout colonial, avec les caractéristiques naturelles des territoires (côte, plaine, montagne, désert, etc.) ainsi qu'avec la concentration des activités économiques, notamment en termes d'attractivité

économique et d'attractivité sociale, qui constituent des facteurs décisifs dans la répartition territoriale des habitants. L'importance de la densité démographique basée sur la ruralité confirme le rôle de l'économie rurale, qui représente en moyenne 13 % du PIB marocain (en production) et donc la nécessité d'accorder une attention particulière au développement rural. À titre d'exemple, la concentration des populations rurales autour de Marrakech (Région démographique du Centre d'Essaouira jusqu'à Er-Rachidia et de Beni-Mellal jusqu'à Zagora) prouve la nécessité de concevoir des politiques publiques adaptées à la nature de la population (rurale agricole) et à leur milieu agro- écologique (zone aride) ;

- Les écarts afférents à la densité de la population constituent un élément essentiel à prendre en considération dans le découpage régional, car les besoins d'une région peuplée ne sont pas les mêmes que ceux d'une région dont la densité de la population est faible. D'autant plus que ces régions sont soumises aux mêmes traitements du point de vue budget, normes fiscales, programmes de développement, etc. ;
- La première hypothèse : la prise en compte de la démographie permet d'améliorer la pertinence du découpage régional a été confirmée. En effet, les critères démographiques à savoir la densité de la population et le pourcentage de population qui vit dans une collectivité rurale permettent un bon ciblage des régions et provinces pour lesquelles les pouvoirs publics sont appelés à concevoir des politiques d'intervention adaptées à la spécificité de chaque localité ;
- Il est recommandé d'intégrer pleinement ces critères démographiques, basés sur le taux de population vivant dans une collectivité rurale et la classification (ER, EU, IN) obtenue au niveau territorial TL3 (province/préfecture), dans les futurs découpages régionaux.

CHAPITRE 4 : **DIMENSION ENVIRONNEMENTALE VERS UNE RÉPARTITION ÉQUITABLE** DES RESSOURCES NATURELLES DANS LE DÉCOUPAGE RÉGIONAL

Introduction

Les ressources naturelles constituent à la fois une composante importante de l'économie nationale et l'un des piliers majeurs de développement régional et d'attractivité des territoires. La gestion de ces ressources figure parmi les prérogatives des départements ministériels concernés ainsi que de celles des collectivités territoriales conformément aux lois organiques qui les régissent.

Avec la relance du processus de décentralisation et de la déconcentration que connait le Royaume durant ces dernières années, un éclairage sur le nouveau rôle attribué aux collectivités territoriales en matière de gestion et de protection de l'environnement revêt un intérêt tout particulier, car il s'agit d'une composante essentielle de la gouvernance territoriale.

Aujourd'hui, la place des ressources naturelles et de l'environnement dans le processus de développement a été fortement mise en évidence. En témoignent les initiatives prises par les États et les ONG à l'échelle internationale et nationale en matière de développement durable. Cette prise de conscience est révélatrice du rôle que devraient jouer les richesses naturelles dans le développement économique des régions.

Dans le même sens, la répartition des ressources naturelles à l'échelle régionale et leur mode de gestion préoccupent à plus d'un titre les chercheurs et décideurs, car elles subissent ces dernières années une forte dégradation due à des facteurs naturels (sécheresse, désertification, etc.) et humains (surexploitation, mauvaise gestion, etc.), mettant en péril leur durabilité. Cette durabilité environnementale est potentiellement influencée par de nombreuses variables du type économique, social, écologique et politique. Elle dépend également des effets engendrés par les modes de gestion et de préservation des ressources naturelles, constituant ainsi un fondement essentiel et un pilier central du développement territorial.

Au Maroc, avec la faiblesse des secteurs de l'industrie et des services en milieu rural, l'exploitation des ressources naturelles (halieutiques, hydriques, minières, pédologiques, forestières, etc.) est étroitement liée au développement socioéconomique des territoires. Ainsi, la disponibilité de ces ressources dans les régions constitue un atout majeur pour promouvoir le développement socio-économique des territoires.

L'intégration de l'environnement dans la planification territoriale est indispensable pour garantir une rationalisation optimale et une distribution équitable des ressources naturelles par région, et, par conséquent, une valorisation des ressources naturelles à l'échelle territoriale.

Pour ce faire, le présent chapitre ambitionne d'examiner la prise en compte de la dimension environnementale dans le découpage régional adopté par l'État. Dans ce cadre, la principale question à laquelle aspire répondre ce chapitre est la suivante : Comment les variables des ressources naturelles sont-elles appréhendées lors du dernier découpage régional ?

Pour répondre à cette question, une hypothèse a été retenue et formulée comme suit : l'homogénéité, l'accessibilité et la répartition des ressources naturelles sont bien respectées dans le découpage régional.

1. La place du capital naturel dans les logiques de découpage régional

1.1. Clarification des concepts

De prime à bord, il importe de clarifier les concepts liés aux ressources naturelles, au capital naturel et à l'environnement en relation avec le découpage territorial. Les ressources naturelles correspondent à tout bien mis à la disposition d'une population par la nature et possédant une valeur économique. Elles sont utiles pour la production ou la consommation, soit à l'état brut, soit après une transformation minimale. Selon les objectifs poursuivis, les ressources naturelles peuvent être classées en deux familles à savoir les ressources naturelles renouvelables (l'énergie solaire, par exemple) et celles non renouvelables (les ressources fossiles, comme le pétrole, par exemple (Organisation mondiale du Commerce, 2010).

La notion du capital naturel fait référence aux ressources naturelles. Dans certains modèles de croissance, c'est le stock des ressources productives (les matières premières) qui est pris en compte : ressources naturelles non renouvelables (pétrole, gaz, charbon, minéraux) et ressources renouvelables (forêt, eau, pâturages, pêcheries et autres ressources halieutiques renouvelables) (Richesse Globale du Maroc [RGM], CESE, 2016).

Quant à la dimension environnementale, elle souligne que les ressources naturelles sont loin d'être inépuisables et qu'il est essentiel de les préserver. Faune, flore, eau, air et sols sont indispensables à la survie humaine, pourtant ces éléments subissent une dégradation constante.

Il est donc indispensable de protéger les grands équilibres écologiques afin de préserver la société et la vie sur Terre.

Dans le présent ouvrage, l'approche qualitative adoptée porte sur l'analyse des ressources naturelles renouvelables, notamment les ressources hydriques, forestières et en biodiversité, le capital naturel marin ainsi que les ressources édaphiques (sol).

1.2. Les ressources naturelles dans les différents modèles de découpage

S'agissant de la place des ressources naturelles dans les découpages régionaux, l'analyse de la loi du 16 juin 1971 permet de constater que les critères du découpage régional, composé de 7 régions, comme il a été décrit dans le projet de découpage du Royaume en région économique de 1969, renvoient aux ressources hydriques et édaphiques (SAU irriguée). En détail, les critères de ce découpage ont été déjà mentionnés dans le troisième chapitre.

Mis à part le critère portant sur la ressource eau et le sol en zone irriguée, il ressort clairement que ce premier découpage de 1971 intègre partiellement les ressources naturelles dans les critères de découpage régional. Cependant, les autres composantes de la dimension environnementale ne sont pas considérées (forêts, ressources minières, ressources halieutiques, biodiversité, *etc.*).

Quant au découpage de 1997, il marque un tournant en alignant mieux les nouvelles régions avec les réalités humaines, économiques et historiques du Maroc (Berriane, 2015). Bien que la dimension géographique soit intégrée, la répartition équitable des ressources naturelles n'a pas été prise en compte. Selon Bellaoui (2009), ce découpage repose sur des critères géopolitiques, historiques, économiques et géographiques.

Les critères de la sphère géographique touchent indirectement les ressources naturelles, étant donné que ces dernières diffèrent d'un milieu géographique à un autre. En plus, ce découpage visait à garantir pour toutes les régions l'accès aux ressources marines et halieutiques. On peut déjà avancer que le souci environnemental et la répartition des ressources naturelles selon les régions ne sont pas pris en compte dans les critères de ce découpage régional. Cet intérêt se manifeste le plus dans la loi du 2 avril 1997[9] qui a intégré la gestion des ressources naturelles dans les attributions du conseil régional, notamment la protection de l'environnement et la rationalisation de la gestion des ressources en eau à travers l'adoption du plan directeur d'aménagement intégré du bassin hydraulique (articles 7 et 8 du titre II de la loi du 2 avril 1997).

En 2015, le découpage territorial s'est fondé sur le rapport du CCR, lequel établissait des critères de découpage en les qualifiant d'objectifs. Ils se concentrent essentiellement sur la fonctionnalité économique, les pôles de développement intégré, ainsi que sur les relations et interactions dynamiques, actuelles et futures entre les populations concernées.

Bien que la dimension environnementale constitue une composante essentielle pour dynamiser l'économie des territoires, elle ne figure pas comme critère déterminant dans le découpage régional de 2015. L'intégration du capital naturel n'a pas bénéficié d'une forte attention lors de la définition des règles et critères du découpage des régions. En revanche, la loi organique n° 111-14 relative aux régions a confié aux régions (article 82) des compétences liées à la gestion des ressources naturelles notamment :

- L'utilisation rationnelle des ressources naturelles, leur préservation et leur valorisation (article 80) ;
- La contribution au développement durable (article 82) ;
- L'aménagement et la gestion des parcs régionaux (article 82) ;

---

9. Loi n° 47-96 du 27 mars 1997 relative à l'organisation de la région, promulguée par le dahir n° 1-97-84 du 2 avril 1997.

L'élaboration d'une stratégie régionale d'économie de l'énergie, de l'eau et de la promotion des initiatives relatives aux énergies renouvelables (Article 82).

Dans l'article 91 de la même loi, des compétences partagées entre l'État et la région ont été définies et qui relèvent de la gestion des ressources naturelles, il s'agit notamment de la :

- Prévention des inondations ; (ressources hydriques) ;
- Préservation des ressources naturelles, de la diversité biologique et de la lutte contre la pollution et la désertification ;
- Préservation des zones protégées ;
- Préservation des écosystèmes forestiers ;
- Préservation des ressources en eau.

Proposé par Pearce (1988), le capital naturel constitue une métaphore permettant d'illustrer le rôle majeur de ce capital naturel dans le système économique (Fonds Mondial pour la Nature, 2021). De ce fait, la production de l'économie régionale ne doit pas être considérée uniquement comme le résultat du capital physique et du capital humain, mais doit intégrer également le capital naturel.

2. Approche empirique

Les relations entre l'activité économique et l'environnement font l'objet de plusieurs analyses économiques, notamment en termes d'exploitation des ressources naturelles dans le processus de développement territorial ou dans le calcul de la richesse globale. En effet, les ressources naturelles constituent des composantes clés dans le calcul de la richesse d'un territoire ou d'un pays (Banque Mondiale 2006).

La forte corrélation entre l'économie et les ressources naturelles a été également mise en exergue pour la prise en compte de l'environnement dans la science économique. Dans ce sillage, l'approche de l'économie verte a été récemment développée pour saisir la relation entre l'économie et l'environnement. Cette approche a été définie par le Programme des Nations Unies pour l'Environnement dans son rapport publié en 2011 comme étant « Une économie qui entraîne une amélioration du bien-être humain et de l'équité sociale tout en réduisant de manière significative les risques environnementaux et la pénurie de ressources ». L'économie verte se propose en tant qu'approche innovante qui vise à répartir équitablement les ressources naturelles de manière à encourager le développement durable et à minimiser les impacts environnementaux, en intégrant des incitations économiques pour mieux promouvoir la conservation du capital naturel.

Étant donné l'importance des ressources naturelles dans le développement national et territorial, il est devenu indispensable d'assurer une meilleure exploitation du capital naturel et de l'évaluer pour mesurer son impact sur la richesse globale du pays ou des régions. Dans ce cadre, la Banque Mondiale a adopté une démarche Bottom-up. Chaque composante du capital naturel est évaluée sur la base de la valeur actuelle des flux futurs de revenus ou de rentes qu'elle permet de générer dans le temps. Bien que la durée de vie des ressources varie en fonction de leur caractère renouvelable ou pas, ainsi que du niveau des réserves et de l'exploitation, un horizon moyen fixe de 25 ans est retenu pour toutes les composantes (soit le temps d'une génération).

Les évaluations du capital naturel selon la méthode développée par la Banque Mondiale prennent en compte les activités suivantes :

- L'exploitation des ressources du sous-sol ;
- L'utilisation de la forêt pour la production de bois d'œuvre et pour d'autres usages ;

• L'exploitation des terres agricoles et des terres en pâturage ;
• L'utilisation des zones protégées terrestres.

Ce choix des activités retenues par la Banque Mondiale s'explique d'une part par la prise en compte des seules valeurs d'usage du capital naturel, et d'autre part par les contraintes de disponibilité des données.

La principale conclusion qui se dégage de la lecture de ces démarches empiriques révèle qu'elles n'ont pas directement abordé la relation entre les ressources naturelles et le découpage régional. De même, elles n'ont pas analysé le critère de répartition du capital naturel selon les régions ni en fonction de leurs potentialités en matière de gestion et de valorisation économique des ressources naturelles.

Concernant l'évaluation du capital naturel, la méthode proposée par la Banque Mondiale relative au pays se limite à l'échelle nationale. Elle peut être adaptée à l'évaluation du capital naturel par région. Mais, faute des données sur les ressources naturelles par région, il s'est avéré difficile d'opérer une estimation du capital naturel selon chaque région retenue dans le dernier découpage régional.

3. Méthodologie d'analyse

La démarche adoptée ne remet pas en cause les différents découpages régionaux, mais s'attachera à examiner l'importance accordée à la dimension environnementale et à l'exploitation du capital naturel. Il sera question de décrire la répartition des ressources naturelles, et ce, en relation avec le dernier découpage régional. L'approche qualitative, fondée sur une analyse descriptive des données relatives au cas marocain, a mis en évidence les ressources naturelles les plus pertinentes permettant de mieux approcher l'intégration de la composante environnementale dans le découpage régional.

Aussi, il est question de cartographier la répartition de ces ressources naturelles et de la croiser avec le découpage régional de 2015. L'objectif est de vérifier s'il y a une répartition équitable et équilibrée des ressources naturelles sur les douze régions du pays, sachant que ces dernières constituent dans le cadre de l'économie marocaine le pivot de développement économique régional.

En effet, le capital naturel exploitable sur le plan économique au Maroc comprend plusieurs ressources naturelles. Vu la nature des systèmes économiques régionaux, les ressources exploitables en secteurs primaires ou en services (tourisme) sont étroitement liées aux :

- Ressources hydriques qui sont étroitement liées à l'activité agricole, mais aussi industrielle, touristique, commerciale et à la production et au développement de différents services. L'économie marocaine est toujours dépendante de l'agriculture, qui dépend à son tour des ressources hydriques. En 2023, le programme d'interconnexion des bassins hydraulique (du Sebou et du Bouregreg, en reliant notamment les barrages de Sidi Mohammed Ben Abdellah et celui d'Oued El Makhazine) a démontré l'importance de la répartition équilibrée des ressources en eau pour mieux accompagner le développement régional. L'analyse de ces ressources en lien avec le découpage régional à la fois au niveau statistique et cartographique pose des problèmes d'ordre méthodologique ; les données disponibles sont structurées par bassins versants dont les limites diffèrent du découpage régional. À cela s'ajoute le manque d'un système d'information performant permettant une meilleure production d'indicateurs pertinents sur les ressources hydriques (état actuel de la ressource et son évolution, son utilisation dans l'agriculture, l'industrie, la consommation, etc.) basés sur des données actualisées et fiables. Pour résoudre ce problème, il a été jugé important de recalculer les ressources hydriques par région en se basant sur les données par stations appartenant à la même région. Ensuite, les résultats compilés par région ont été calqués à la carte du découpage régional de 2015.

- Ressources forestières qui contribuent aussi au développement des économies régionales à travers les activités sylvopastorales et forestières. En plus, les forêts sont également exploitées comme un lieu de parcours. Ce dernier est considéré comme ressources de base pour l'élevage surtout extensif. D'un point de vue méthodologique, la superficie forestière par région a été utilisée comme donnée statistique de base, en complément de la répartition des forêts par types. Ces données ont été croisées avec la carte du découpage régional de 2015 afin de déterminer le niveau de répartition du capital forestier par région.

- Ressources en biodiversité qui contribuent d'une manière directe ou indirecte à l'économie régionale et nationale. Elles englobent plusieurs composantes, incluant les écosystèmes et la biodiversité floristique et faunistique. En effet, le Maroc renferme une diversité écologique et des richesses en biodiversité, que traduisent les aires protégées. Mais l'analyse de cette composante en lien avec le découpage pose également des problèmes méthodologiques, notamment en matière de disponibilité des données chiffrées par éléments de la biodiversité et par régions. Le choix méthodologique porte ainsi sur le nombre et la répartition des aires protégées. Ces dernières comprennent des parcs nationaux, des réserves de biosphères/Man and Biosphère (MAB) et des sites d'intérêt biologique et écologique, inventoriées par le plan directeur des aires protégées (1996). Ainsi, la méthode utilisée consiste à croiser la carte des aires protégées avec le découpage de 2015.

- Capital naturel marin qui peut être approché sous l'angle de l'exploitation des ressources halieutiques. Cette ressource contribue à la création de la richesse économique (environ 2 % du PIB national, selon le Département de la pêche maritime) sur le plan régional et national. L'indicateur principal disponible, chiffré, réside dans les effectifs des débarquements des produits de pêches en tonnes par ports ou points de débarquement.
- Ressources édaphiques (sol) qui constituent, comme les ressources hydriques, la base de la production agricole. Cette ressource naturelle est exploitée au niveau régional par différentes activités agricoles, ce qui impacte fortement le PIB régional. Mais la grande question méthodologique est de dégager un indicateur chiffré et cartographiable décrivant la répartition de cette ressource. En effet, les sols au Maroc diffèrent selon leur étendue (superficie) et leur niveau de développement et de fertilité (sol fertile, peu développé, développé, etc.). Vu le manque des données détaillées, le choix a été porté sur la Superficie approchée par la Surface Agricole Utile (SAU) comme indicateur pertinent reflétant la richesse édaphique par région.

Bien entendu, il existe d'autres ressources naturelles exploitables économiquement, comme les gisements miniers et phosphatés et les ressources énergétiques du sous-sol marocain, mais leur exploitation dégage un bénéfice à dimension nationale centralisée, plus que régionale. En plus, les données relatives à ces ressources ne sont pas structurées par région.

L'extraction des phosphates est assurée par l'Office Chérifien des Phosphates (OCP) (société nationale), mais, bien que la production par site soit régionalisée (Béni Mellal-Khénifra, Marrakech-Safi, Laâyoune-Boujdour-Sakia El Hamra), l'impact économique est comptabilisé au niveau national.

En ce qui concerne l'extraction des autres ressources minières, les données ne sont pas disponibles, et leur gestion ainsi que leur exploitation sont confiées au secteur privé, d'autant plus qu'elles génèrent des retombées économiques à l'échelle nationale plutôt qu'au niveau régional. C'est ainsi que l'approche adoptée n'a pas intégré ces ressources dans l'analyse, étant donné qu'elles sont exploitées à l'échelle nationale et d'une manière centralisée.

Pour ce faire, l'approche qualitative basée sur l'analyse descriptive des données statistiques et cartographiques a été adoptée. Elle s'appuie sur le système d'information géographique SIG (Gourmelon, 2003) et le croisement des données statistiques par ressources à la carte du découpage de 2015. Cette démarche permet d'examiner l'état de la répartition des ressources naturelles avec le découpage régional de 2015.

Cette approche consiste à superposer la répartition des ressources décrites ci-dessus sur la carte du découpage régional pour ressortir les inégalités entre les régions au niveau du capital naturel et approcher le degré d'intégration et de répartition de la dimension environnementale dans le découpage.

Le choix s'est orienté vers ces ressources en raison de leur lien étroit avec la création de richesse régionale et le développement socio-économique des territoires (création de valeur ajoutée, emploi, etc.). Cette sélection s'inspire également des activités préconisées par la Banque Mondiale pour l'évaluation du capital naturel des pays, à l'exception des ressources souterraines, qui ne sont pas incluses dans cette approche.

4. Inégalités d'accès au capital naturel : analyse des résultats

Dans cette partie réservée à l'état de la répartition des ressources naturelles selon le découpage régional, il convient de présenter et d'analyser les résultats obtenus à travers la démarche adoptée consistant à opérer un croisement des données disponibles pour chaque ressource avec la carte du découpage régional de 2015.

4.1. Une répartition inégale des ressources hydriques dans le découpage de 2015

La question de l'eau a bénéficié d'un intérêt particulier des pouvoirs publics et a été au centre des préoccupations des politiques économiques en raison de son rôle déterminant dans la sécurité hydrique du pays et l'accompagnement de son développement. En effet, la sécurité hydrique est devenue une priorité urgente pour le Maroc, puisque la demande est aujourd'hui supérieure à la quantité disponible en ressources annuelles renouvelables.

Cette ressource contribue fortement au développement des économies régionales, et ce à travers des activités agricoles, industrielles, touristiques. Elles contribuent aussi à l'amélioration du cadre social régional en lien avec plusieurs services sociaux (accès à l'eau potable, assainissement, etc.). La ressource en eau est fortement liée au cadre environnemental régional favorisant ainsi la viabilité des milieux, le développement de biodiversité et espaces verts, etc.

Néanmoins, tout déséquilibre entre la demande et l'offre peut générer le déclin de l'économie régionale et l'instabilité sociale et aggrave les inégalités territoriales. D'autant plus que la ressource eau pose un grand problème en matière de répartition entre les régions et au sein de la même région.

En témoignent les résultats obtenus à la suite du croisement des données statistiques avec la carte du découpage des régions. Il ressort de ce croisement qu'il y a trois blocs de régions :

- Régions situées dans des bassins versants excédentaires et riches en ressources hydriques. Il s'agit des régions de Tanger-Tétouan Al Hoceima, Rabat Salé Kenitra et Fès-Meknès. Ces trois régions se situent dans le nord-ouest où les précipitations dépassent les 500 mm/an. Le réseau hydrographique est bien développé et caractérisé par un écoulement pérenne lié aux Oueds de Sebou et à son affluent Ouargha, Oued Loukkos et la Moulouya à l'extrême est de la province d'El Hoceima. Ainsi, il s'agit d'importants budgets hydriques liés aux ressources superficielles et souterraines importantes ;
- Régions disposant des ressources hydriques moyennes, notamment Casablanca-Settat, Beni Mellal-Khénifra, traversées par Oued Oum-er-Rbia, et la région Marrakech-Safi. Ces régions se situent dans un climat semi-aride où les précipitations varient de 200 à 600 mm/an. Leurs ressources hydriques sont étroitement liées aux Oueds dont les affluents prennent leur source dans le Moyen et Haut Atlas. Vu l'importance démographique et économique de ces régions, le bilan est déficitaire ; les besoins en eau dépassent largement les ressources disponibles ;
- Régions faibles à très faibles en ressources hydriques : c'est le cas de l'Oriental, Draa-Tafilalt Souss-Massa et les trois régions du Sud. Toutes ces régions se situent dans des territoires où règne un climat aride et semi-aride. Les ressources hydriques dépendent d'un réseau hydrographique faible et temporaire et des ressources souterraines. Les besoins en eau dépassent les ressources disponibles, ce qui engendre un bilan hydrique déficitaire. Plusieurs activités économiques sont en forte croissance, ce qui amplifie les besoins en eau. La rareté de ces ressources constitue ainsi un frein au développement socio-économique de ces régions.

Carte 3 : Répartition des ressources hydriques par région/découpage régional de 2015

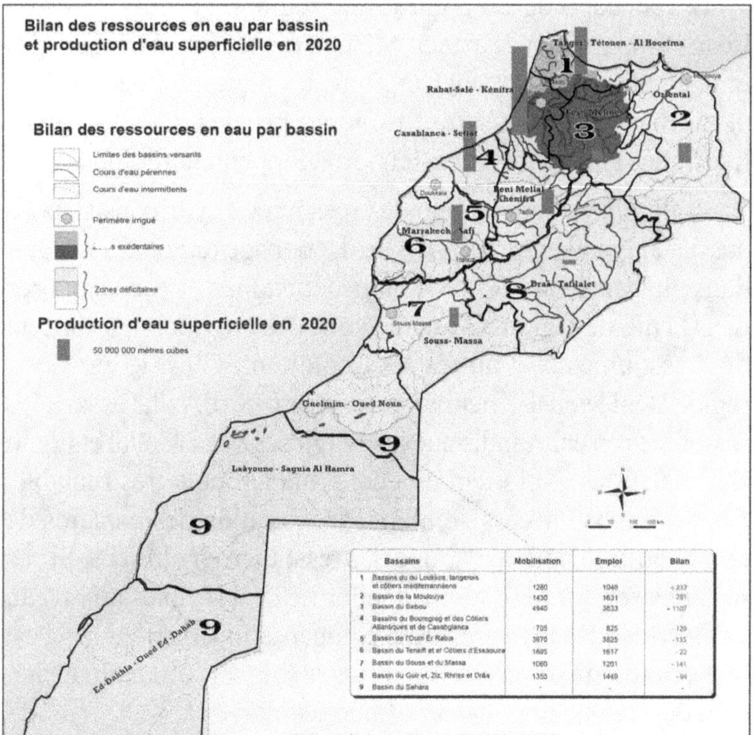

	Bassains	Mobilisation	Emploi	Bilan
1	Bassins du du Loukkos, tangerois et côtiers méditerranéens	1280	1046	+237
2	Bassin de la Moulouya	1430	1631	-201
3	Bassin du Sebou	4940	3833	+1107
4	Bassins du Bouregreg et des Côtiers Atlantiques et de Casablanca	705	825	-120
5	Bassin de l'Oum Er Rabia	3870	3825	-135
6	Bassin du Tensift et et Côtiers d'Essaouira	1695	1617	-22
7	Bassin du Souss et du Massa	1060	1201	-141
8	Bassin du Guir et, Ziz, Rhriss et Drâa	1355	1449	-94
9	Bassin du Sahara	-	-	-

Carte réalisée par Hassan RAMOU, 20222
Source: Service de l'hydraulique, 2020 et annuaire statistique 20221,

Ainsi, le découpage régional de 2015 n'a pas pris en compte la composante environnementale dans la conception globale en comparaison avec le découpage de 1971. La question de l'eau demeure vitale pour les territoires à la fois sur le plan économique, social, et environnemental, et voire même politique. Le découpage a donné lieu à des régions déficitaires en eau et d'autres, excédentaires. La raréfaction des ressources en eau dans une région réduit les alternatives de la croissance et du développement économique, surtout si elle a une vocation agricole, fortement dépendante de l'eau pour son économie régionale (Casablanca-Settat, Souss-Massa).

Les concepts de la solidarité interrégionale et de transfert de l'eau s'imposent avec acuité. Même avec les futurs découpages et la création de nouvelles régions, les régions situées à l'Est et au Sud des Atlas seront toujours privées des ressources hydriques suffisantes pour leur développement régional.

Cette répartition inégale des ressources hydriques se pose aussi au niveau intrarégional. Le découpage régional a intégré, dans plusieurs cas, des territoires déficitaires et excédentaires dans la même région. C'est ainsi que des provinces produisent des ressources et d'autres les exploitent. C'est le cas de la région Béni Mellal-Khénifra, où la province d'Azilal assure des ressources en eau, tandis que les provinces Beni Mellal et Fquih Ben Salah les exploitent en économie agricole très rentable. Ce qui impose nécessairement l'instauration des mesures de compensation pour le partage des ressources hydriques. Si ces mesures sont plus ou moins facilement applicables au niveau intrarégional, il demeure que la compensation interrégionale est plus compliquée entre les régions à la fois sur le plan financier, économique, technique et politico-juridique.

Cette compensation souhaitée s'inscrit dans le cadre de l'approche « Paiement des services écosystémiques (PSE) » qui consiste à partager les outputs économiques de l'exploitation des ressources naturelles partagées entre les régions. Autrement dit, il s'agit d'un transfert de ressources financières entre les bénéficiaires de certains services environnementaux et les fournisseurs de ces derniers. Ce partage des ressources hydriques demeure primordial pour un développement équilibré et harmonieux des régions. Ces dernières diffèrent selon la taille démographique, le tissu économique et les besoins sociaux.

Ainsi, les prochaines configurations régionales doivent prévoir un équilibre entre les ressources hydriques disponibles et les besoins en eau dictés par la taille démographique, les activités, les secteurs d'activité et la vocation économique de la région. C'est le cas de Casablanca-Settat ayant une taille démographique consistante et dont une grande partie du territoire régional est orientée vers l'agriculture (Provinces El Jadida, Settat, Berrechid, Sidi Bennour, etc.), mais qui se trouve dans une situation déficitaire et demeure dépendante des ressources hydriques extrarégionales.

4.2. Ressources forestières et biodiversité : un capital mal réparti

En termes de richesses forestières, le Maroc dispose d'une grande diversité bioécologique et une gamme très importante de milieux naturels différents. Cette diversité se manifeste par les formations forestières, para forestière et alfatière, qui sont en majorité domaniales et s'étendent sur une surface d'environ 9 631 896 ha, soit un taux de couvert de 13,5 % du territoire national (ANEF). De même, les peuplements forestiers sont composés d'essences et de structures très diverses. Ces essences sont constituées principalement à 71 % de formations naturelles de feuillus (chêne vert [31,7 %], chêne-liège [8,2 %], arganier [5,4 %]), à 18 % de résineux (cèdre [2,9 %], thuya [11,7 %], genévrier [7,3 %], pin [2,1 %], sapin [0,1 %]). Leur répartition géographique reste liée aux bioclimats, à la topographie et à l'action anthropique.

L'existence de massifs forestiers dans une région contribue directement à son développement socioéconomique. Outre son rôle écologique, plusieurs activités sont étroitement liées à cette ressource naturelle ; l'écotourisme, le parcours (élevage extensif) et l'économie forestière ou sylvopastorale dépendent directement des ressources forestières. En plus, d'autres secteurs profitent indirectement de ces ressources naturelles, notamment le secteur de l'industrie (bois d'œuvre-menuiserie), le BTP (Bâtiment et Travaux Publics), l'artisanat, etc. Ainsi, la disponibilité de cette ressource par région contribue à la diversification économique et au développement socioéconomique régional.

Sur le plan méthodologique, il est question de spatialiser sur un SIG cette couverture forestière au niveau national, d'intégrer les données statistiques sur la superficie forestière par région et de les superposer avec la carte du découpage régional de 2015.

D'après cet exercice cartographique et statistique, le recoupement entre les données quantitatives et cartographiques avec le découpage régional de 2015 démontre une répartition inégale des ressources forestières. La carte ci-après illustre parfaitement la répartition des ressources forestières par région.

Carte 4 : Répartition des ressources forestières par région/découpage régional de 2015

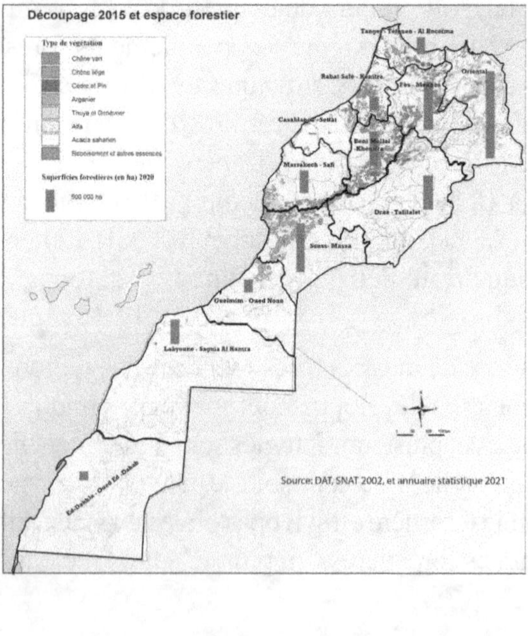

Il ressort du croisement des données cartographiques et statistiques une concentration des espaces forestiers dans les régions qui s'étendent sur les massifs montagneux. Mise à part la subéraie de la Maamora (Région Rabat-Salé-Kénitra), l'arganeraie de Souss (Région de Souss-Massa) et le cas particulier des acacias sahariens dans les régions du Sud et celui des nappes alfatières qui se situent dans les basses plaines, la quasi-totalité des forêts se situe dans les régions montagneuses.

Une autre constatation réside dans la concentration des forêts dans les limites régionales. En effet, le découpage régional repose en termes de traçage des frontières sur les limites provinciales qui coïncident avec des limites naturelles, notamment, les lignes des partages des eaux, le long de crêtes montagneuses, et les Oueds. Ainsi, les formations forestières sont concentrées dans certaines régions, surtout à leurs limites. C'est le cas entre la région Béni Mellal-Khénifra et Drâa-Tafilalt et entre la région de Marrakech-Safi et celle de Souss-Massa.

Au niveau de la répartition, les trois régions du Sud, de Draa-Tafilalet et de Casablanca-Settat s'individualisent par leur très faible superficie forestière. Les massifs forestiers constituent les limites naturelles entre les régions, ce qui fait qu'il y a des régions montagneuses riches en formations forestières (la Région du Rif/Tanger – Al Hoceima, et les régions du Moyen Atlas, notamment Fès-Meknès et Beni Mellal-Khénifra). Ce sont les régions qui abritent les plus importantes superficies forestières. Aussi, ces régions se caractérisent par une grande diversité de forêts (chêne vert, chêne-liège, cèdres, pin, thuya et genévrier, etc.). En revanche d'autres régions sont privées de ce capital naturel et ses valeurs économiques, sociales et écologiques.

La figure 6 ci-après indique la superficie forestière par région en 2019 :

Figure 6 : Superficie du domaine forestier par région (en ha) en 2019

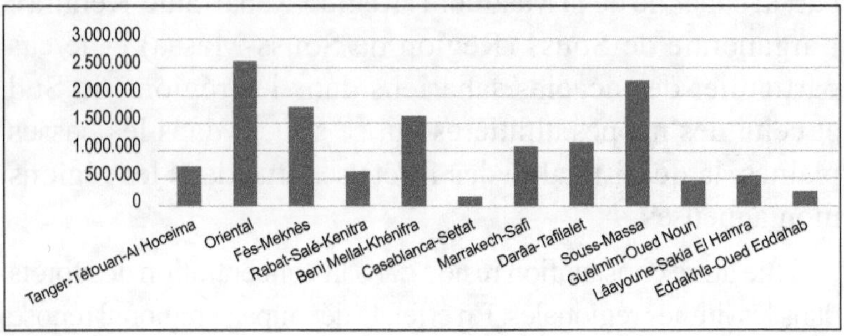

Source : élaboration par l'auteur, données du HCP, annuaire statistique de 2020.

Quant à la région de Souss-Massa et celle de l'Oriental, elles sont dominées respectivement par l'arganier et les nappes d'alfatières. Ces deux formations renferment un foncier forestier important, et ce, malgré la faible densité des formations floristiques.

Cette répartition inégale des forêts est étroitement liée aux économies régionales ; les ressources forestières sont exploitées dans le cadre d'une économie sylvopastorale ou pastorale ainsi, la disponibilité des parcours est un atout pour l'élevage des petits ruminants et dromadaires. À ce titre, la région de l'Oriental est animée par une activité d'élevage importante, par rapport aux autres régions. L'existence du capital forestier dans une région donnée contribue à son développement économique territorial à travers une série d'activités (exploitation des bois, parcours, apiculture, plantes aromatiques et médicinales, tourisme, etc.). Il contribue aussi au maintien des équilibres écologiques, notamment la protection contre l'érosion, l'amélioration de la qualité des eaux, abrite la biodiversité, etc.

Ce capital forestier constitue le milieu favorable et le biotope pour la biodiversité floristique et animale. Cette biodiversité, pour le cas marocain, est concentrée dans des aires protégées inventoriées depuis 1996 (plan directeur des aires protégées). Ce plan a dressé une typologie des aires protégées qui comprennent :

- Des parcs nationaux dont le nombre s'élève à dix parcs sur une superficie globale d'environ 750 000 ha : Toubkal (1942), Tazekka (1950), Souss Massa (1991), Iriqi (1994), Ifrane, Talassemtane, Haut Atlas oriental et Al Hoceima (2004), Khenifiss (2006), premier parc national saharien du Royaume et le parc national de Khénifra.
- Des Sites d'Intérêt Biologique et écologique (SIBE). Ces dernières sont de l'ordre de 154 SIBE et s'étendent sur une superficie totale de 772 000 ha. Les SIBE comprennent trois catégories par priorité (1, 2, et 3) et par appartenance écosystémique. C'est ainsi qu'on trouve des SIBE continentales, littorales et, dans ces deux catégories, il existe des zones humides (barrages, les lacs naturels, embouchures des oueds, baies, Sebkha, etc.) des grottes, des falaises et des écosystèmes forestiers particuliers, etc.

À ces aires protégées s'ajoutent les resserves de biosphère, notamment celle des oasis du Sud marocain et la réserve de biosphère de l'arganier, classées par l'UNESCO.

Par leur diversité, les aires protégées garantissent des rôles et des fonctions essentielles d'ordre écologique et environnemental, mais aussi socio-économique (écotourisme, etc.).

Le croisement des données statistiques et la distribution des aires protégées avec la carte du découpage de 2015 ont révélé une certaine distribution équilibrée de cette ressource dans la moitié nord du Maroc. Les trois régions du Sud, et à moindre mesure la région de l'Oriental, reflètent une faiblesse du nombre de ces espaces naturels. Ceci, ne signifie pas forcément une diminution ou une raréfaction de la biodiversité dans ces régions, mais plutôt un manque d'inventaire exhaustif de la biodiversité dans ces espaces arides et sahariens.

Carte 5 : Répartition des aires protégées (biodiversité) selon le découpage régional de 2015

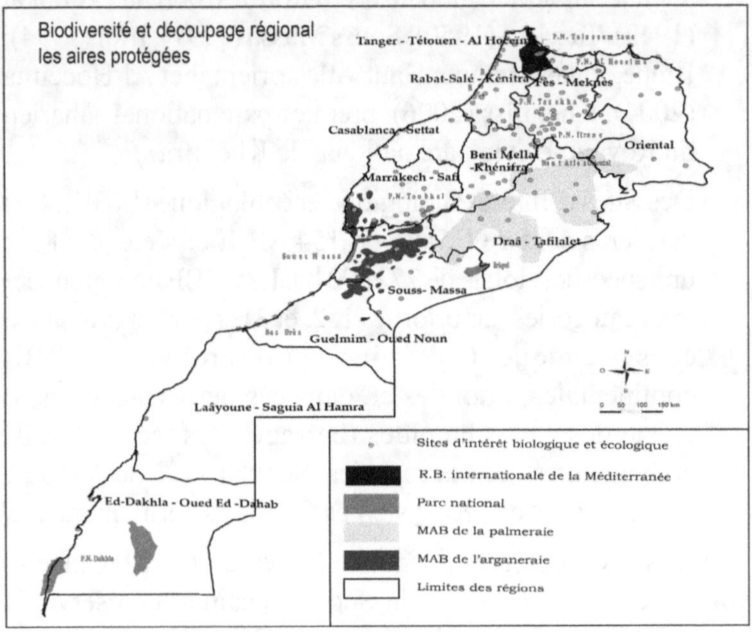

La prise en compte de cette composante dans le découpage régional demeure importante pour que chaque région soit dotée en capital naturel et en biodiversité. Il ne s'agit guère d'une régionalisation reflétant les écosystèmes naturels, mais plutôt des régions équilibrées qui peuvent exploiter des ressources naturelles économiquement et partant disposer d'un cadre de vie acceptable sur le plan écologique. À ce niveau, la région de Casablanca-Settat, fortement exploitée en agriculture et très industrialisée, demeure dépourvue de richesses écologiques.

Le seul refuge écologique de la région réside dans la forêt de Benslimane, mais qui se trouve surexploitée et subit de fortes pressions anthropiques.

4.3. Le capital marin : entre potentiel et inaccessibilité territoriale

Les ressources halieutiques constituent une composante essentielle du capital naturel et jouent un rôle déterminant dans la promotion de l'économie nationale et régionale. Elles sont réparties sur l'ensemble du territoire, mais concentrées essentiellement en Atlantique centre et sud[10]. Ce capital peut être classé sous la catégorie de la biodiversité dans sa composante marine. La biodiversité continentale, telle qu'elle a été décrite ci-dessus, est peu exploitable en économie (écotourisme). Cependant, la biodiversité marine est fortement exploitée sur le plan économique et constitue la base du secteur de la pêche maritime. C'est ainsi que l'accès à la mer et à ce capital permet aux territoires régionaux de développer des activités sectorielles et de diversifier leurs économies régionales.

Mais le découpage de 2015 n'a pas prévu un accès aux espaces marins ou littoraux pour l'ensemble des régions ; c'est le cas notamment des régions de Draa-Tafilalt, de Fès-Meknès et de Beni Mellal-Khénifra. Les autres régions ont toutes des espaces littoraux qui diffèrent en termes de richesse halieutique et longueur des côtes. Les trois régions du Sud, très riches en ressources halieutiques, ont pu développer le secteur de la pêche et les industries alimentaires connexes et, par conséquent, assurer leur développement socio-économique.

10. Département de la pêche maritime, http://www.mpm.gov.ma/wps/portal/PortalI-MPM/.

Dans ce sillage, les ressources halieutiques émanant de ces trois régions ont une importance économique nationale de grande envergure. La carte ci-dessous démontre cette répartition inégale de ce capital marin entre les régions.

Carte 6 : Déparquements des produits de pêches par région/découpage régional de 2015

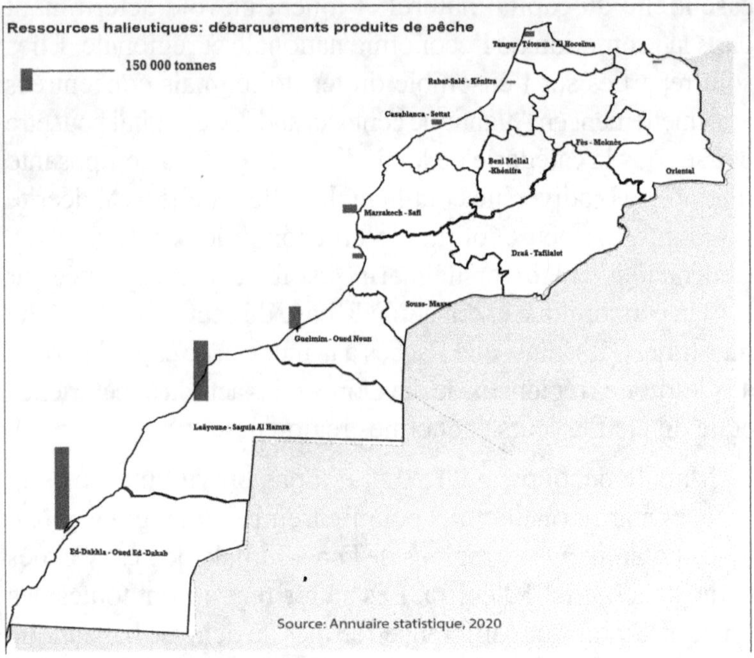

Le recoupement entre les données portant sur les effectifs des débarquements des produits de pêches en tonnes et la carte du découpage régional de 2015 révèle l'existence de trois groupes de régions :

- Régions très riches en capital marin ; ce sont les trois régions du Sud, dont l'effectif de débarquements des produits de pêches représente 1 211 208 tonnes en 2019, soit 88 % du total de débarquements, enregistrés au niveau national. Cette richesse récompense la raréfaction des ressources en SAU, en eau, en espaces forestiers et en biodiversité ;

- Régions pauvres en ressources halieutiques, où on dénote une faible exploitation qui s'explique par le manque de ports de pêche (région de l'Oriental, de Rabat-Salé-Kenitra) alors que d'autres régions disposent d'infrastructures portuaires plus importantes, comme le cas de Casablanca-Settat (port de Mohammadia, Ela Jadida et Casablanca). Malgré cette infrastructure portuaire, ces régions reflètent une faiblesse de débarquements. Toutes ces régions ne représentent que moins de 13 % du total national de débarquements ;
- Régions qui n'ont pas d'accès sur la mer et, par conséquent, ne disposent pas de ressources halieutiques et qui sont ainsi privées de cette manne économique.

Figure 7 : Répartition de l'effectif de débarquements des produits de pêches (en tonne) par région en 2019

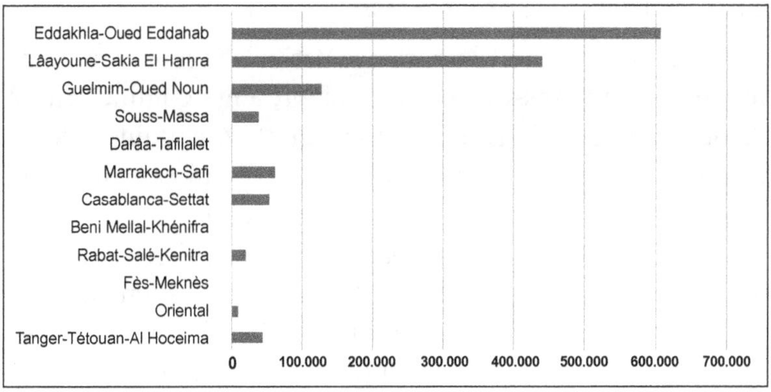

Source : élaboration par l'auteur, données du HCP, annuaire statistique de 2020.

Il en résulte que le découpage régional constitue le premier mécanisme qui oriente la trajectoire économique des régions en leur accordant un accès aux ressources halieutiques (Figure 7), mais prive d'autres régions de cette importante richesse dont la contribution à la création de valeur ajoutée est nettement apparente. Serait-il opportun dans le prochain découpage régional d'assurer l'accès de toutes les régions à la mer ?

4.4. Les ressources édaphiques : oubliées des critères de découpage

Les ressources édaphiques (sol) constituent une composante très précieuse du capital naturel. Manifestement, ces ressources se matérialisent par différents types de sols qui jouent un rôle déterminant en termes de production économique (agriculture, élevage), de préservation de la biodiversité, de développement de la végétation, etc. Selon l'Organisation des Nations Unies pour l'Alimentation et l'Agriculture (FAO), les sols contribuent à lutter contre le changement climatique et à s'y adapter, car ils détiennent un rôle essentiel dans le cycle du carbone. De plus, les sols stockent et filtrent l'eau, améliorant ainsi la résilience aux inondations et aux sécheresses.

Toutefois, malgré l'importance des sols et leurs multiples fonctions, cette ressource n'est pas présente comme critère de découpage régional au Maroc. En effet, certains acteurs et décideurs ignorent l'importance du sol qui constitue une ressource non renouvelable et sa préservation est essentielle pour la sécurité alimentaire. Dans ce cadre, la FAO considère que la superficie des sols productifs est limitée et soumise à une pression croissante, provoquée par une utilisation intensive des sols et des usages concurrentiels (culture, foresterie, pâturages/parcours et urbanisation).

La superficie du sol au Maroc est mesurée par la surface agricole utile (SAU). Ce critère est chiffré par province et par région, voire même par commune. Sur le plan méthodologique, il est question de spatialiser la répartition de la SAU en la croisant avec la carte du découpage régional de 2015.

Les derniers chiffres publiés par le département de l'agriculture (2020) révèlent une répartition déséquilibrée entre les régions issues du découpage de 2015, tel qu'illustré par la carte ci-après.

Carte 7 : Répartition des ressources édaphiques (sol/SAU) par région

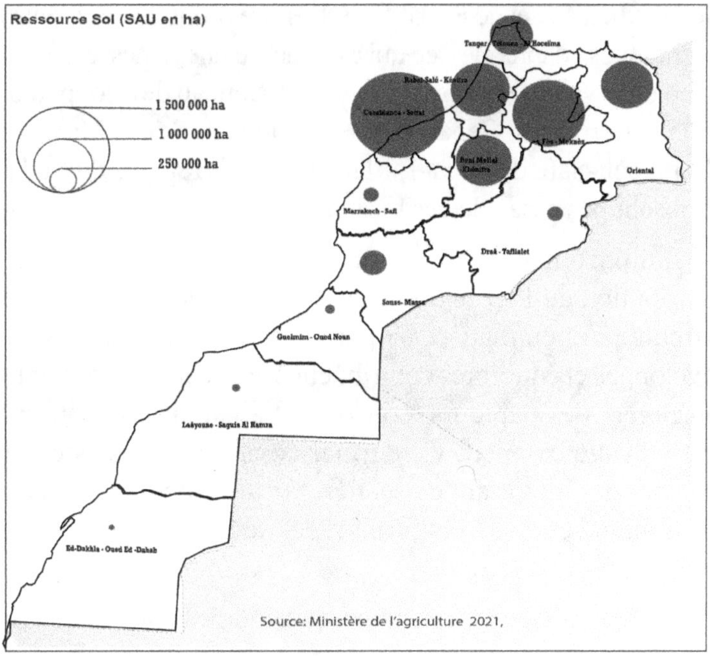

Source: Ministère de l'agriculture 2021,

Ainsi, le croisement des données statistiques de la SAU, comme indicateur pertinent reflétant la richesse édaphique par région, avec la carte du découpage de 2015, démontre l'existence de deux types de régions :

- Premier groupe de régions riches en ressources édaphiques, notamment les régions atlantiques, situées au Nord de la ligne d'El Jadida-Oujda ;
- Deuxième groupe de régions pauvres en couverture édaphique liée surtout à la topographie et à l'aridité climatique, notamment les régions de la chaîne atlasique et celles situées au Sud de l'Atlas.

Les inégalités observées entre les régions en termes de SAU renforcent les disparités territoriales et socio-économiques entre les régions. Les régions de Casablanca-Settat, de Beni Mellal Khénifra, et de Rabat-Salé-Kenitra profitent des atouts et potentialités édaphiques, ce qui a engendré une richesse agricole et des plus-values économiques contribuant au développement de leurs territoires. Cependant, les régions de Souss-Massa, de Marrakech-Safi, de Draa-Tafilalt et les trois régions du Sud ne disposent pas assez de ces ressources pédologiques.

L'importance des ressources en sol réside dans leur contribution au PIB régional eu égard à leur exploitation en agriculture et en matière de parcours et d'élevage. Les sols développés et équilibrés contribuent à améliorer la production fourragère des parcours, constituant ainsi la base naturelle de l'élevage extensif. Ce dernier constitue manifestement un potentiel important en matière de développement socio-économique et de diversification des sources de revenus des ménages ruraux.

Eu égard à leur poids en tant que composante majeure du capital naturel, les sols doivent être protégés et valorisés non seulement pour leurs capacités de production, mais aussi pour leur contribution à la sécurité alimentaire et au maintien des services écosystémiques essentiels.

Synthèse

Le croisement des données sur les ressources naturelles avec la carte du découpage de 2015 permet de ressortir plusieurs remarques :

- Le manque d'homogénéité territoriale et naturelle entre les régions. Ce manque se manifeste beaucoup plus au niveau des superficies des régions, de l'accès à la mer, et au niveau des ressources hydriques et pédologiques. Le cas le plus flagrant est celui de Draa-Tafilalt, qui dispose des ressources en eau et en SAU très limitées et privées d'un accès à la mer et aux ressources halieutiques. D'autres régions comme Beni Mellal-Khénifra et Fès-Meknès sont aussi privées de ressources halieutiques et littorales, mais cette situation est compensée par l'abondance des ressources hydriques et pédologiques, ce qui a contribué au développement économique de ces régions grâce au développement du secteur agricole.
- Au niveau intrarégional, l'homogénéité territoriale demeure faible en termes d'accès aux ressources naturelles. Le découpage de 2015 a été conçu de manière à intégrer dans une seule région plusieurs territoires hétérogènes en termes des ressources naturelles, c'est le cas de plusieurs régions :
  - La région de Beni Mellal-Khénifra, qui comprend les territoires montagneux (provinces d'Azilal, Khénifra) qui sont riches en ressources hydriques forestières et en biodiversité, mais très faibles en ressources pédologiques. En revanche les territoires de plaine (province Beni Mellal et province de Fquih Ben Salah) disposent des ressources édaphiques importantes et qui sont exploitées intensivement en agriculture ; ce qui rehausse le PIB régional sous l'impulsion des activités agricoles ;

- La région de Fès-Meknès qui englobe les provinces montagneuses de Taounate, Séfrou, El Hajeb, Boulemane et Ifrane. À l'instar des territoires montagneux de la région précédente, ces provinces fournissent à la région et à d'autres régions d'importantes ressources hydriques et abritent des ressources diversifiées en biodiversité et en couverture forestière. Mais leur économie régionale se base en grande partie sur l'agriculture en exploitant la SAU située dans les zones de plaines.

C'est le même cas pour d'autres régions, comme Tanger-Tétouan-El Hoceima, Casablanca-Settat et l'Oriental, ce qui prouve que le traçage des frontières régionales n'a pas tenu compte de l'équilibre des ressources naturelles au sein des régions. Le principe de l'homogénéité territoriale au sein des régions demeure ainsi peu considéré dans le découpage de 2015.

Il ne s'agit pas de défendre l'idée des régions naturelles, homogènes sur le plan environnemental (régions de montagne, régions sahariennes et oasiennes, région de plaine atlantique, etc.), mais plutôt d'avoir des régions équilibrées en termes du capital naturel et ayant des ressources naturelles nécessaires pour leur développement socio-économique. L'exemple flagrant est celui de la région de Casablanca-Settat, qui dépend en termes de ressources hydriques des régions avoisinantes. De même, pour la région de l'Oriental, notamment la province de Berkane, la province de Nador et la province de Guercif, dont l'économie agricole dépend des eaux de Moulouya, qui prend source à la jonction des massifs du Haut Atlas et du Moyen Atlas à la province de Midelt (région Draa-Tafilalt) et traverse le territoire de la région Fès-Meknès.

Malgré ces transferts des ressources d'une région à l'autre et d'un territoire à l'autre au sein de la même région, le décideur n'a pas prévu des mécanismes de compensation. En l'absence de ces mécanismes, le traçage des limites régionales ne résulte en aucune homogénéité ni complémentarité entre les territoires sur le plan naturel. À ceci s'ajoute, les grandes disparités entre les régions au niveau des superficies. À ce titre, les deux régions du Sud (Laâyoune-Sakia El Hamra, et Dakhla-Oued Ed-dahab) constituent plus 38 % du territoire national. En revanche, les régions Casablanca-Settat, Rabat-Salé-Kenitra et Tanger-Tétouan AL Hoceima ne représentent toutes les trois que moins de 8 % de la superficie nationale, bien qu'elles abritent plus de 34 % de la population marocaine (RGPH[11]-2014) et contribuent à hauteur de 60 % dans la création de PIB national (HCP, 2020). Le cas de ces trois régions démontre clairement l'ampleur de la pression anthropique sur les ressources naturelles, principalement sur la bonde littorale Tanger-El Jadida.

Conclusion

À travers cette approche qualitative, privilégiant l'analyse descriptive des données statistiques et cartographiques et basées sur le croisement entre les données disponibles sur les ressources naturelles retenues avec la carte du découpage régional de 2015, il convient de dégager les principales conclusions suivantes :

- La disponibilité des ressources naturelles et la préservation du capital naturel sont d'importance cruciale dans le développement et la promotion socio-économiques des régions et, par conséquent des politiques publiques territoriales ;
- Les composantes de la dimension environnementale retenues dans cette analyse à savoir, les ressources hydriques, les ressources forestières et en biodiversité, le capital marin et les ressources édaphiques (sol) ne sont pas appréhendées

11. Recensement Général de la Population et de l'Habitat.

d'une manière fine lors de l'élaboration des principes et critères de différents découpages régionaux. Par conséquent, de réels problèmes se posent en termes d'homogénéité, d'accessibilité et d'équilibre ;

- Le recoupement des données disponibles à la carte du découpage régional montre clairement que l'homogénéité, l'accessibilité et la répartition des ressources naturelles entre région et au sein de la même région ne sont pas respectées dans le découpage régional de 215 (deuxième hypothèse) ;
- Les investigations menées sur la dimension environnementale et celle démographique confirment l'opportunité d'une nouvelle configuration des régions dans le futur découpage régional. Cette configuration, qui pourrait se limiter un nombre plus réduit des régions au lieu de 12 actuellement, doit intégrer les critères démographiques (densité des populations et pourcentage de la population vivant dans une collectivité rurale), la répartition équilibrée du capital naturel qui détermine et consolide la vocation économique de la région et la possibilité d'avoir pour chaque région un accès à la mer et à la ressource naturelle ;
- L'ambition était de s'inspirer de la méthode de la Banque Mondiale concernant l'évaluation du capital naturel et de l'adapter à ce cas particulier. Cependant, en l'absence des données par région spécifiques aux différentes composantes du capital naturel retenues dans l'analyse, il a été impossible d'adopter cette démarche qui semble très pertinente et permet de déterminer et d'évaluer la valeur de chaque ressource naturelle par région. Pour ce faire, il est permis de préconiser :
    - L'élaboration d'un système d'information performant permettant une meilleure production d'indicateurs pertinents sur le capital naturel par région (état actuel

des ressources et leur évolution, utilisation, préservation, consommation, dégradation, etc.) basée sur des données actualisées et fiables ;

- Le lancement de futures études doctorales, en utilisant les données fournies par ce système d'information sur le capital naturel par région, permettra d'évaluer plus précisément les différentes composantes de la dimension environnementale régionale.

- Les résultats obtenus révèlent manifestement que la délimitation des frontières régionales n'a pas tenu compte de l'équilibre des ressources naturelles au sein des régions et le principe de l'homogénéité territoriale entre les régions et au sein de la même région demeure ainsi peu considéré dans le découpage de 2015 ;
- Il ressort de cette analyse une grande disparité entre les régions en termes de répartition de ressources naturelles. Le dernier découpage a privilégié davantage certaines régions par rapport à d'autres en leur attribuant des ressources naturelles et en privant d'autres de cette importante richesse. Cette emprise favorise ainsi le développement socio-économique des régions dotées d'un capital naturel composé notamment des ressources hydriques, forestières et halieutiques. Or, le développement et la croissance de l'économie régionale d'un pays comme le Maroc doivent se baser essentiellement sur une répartition équilibrée et une exploitation directe de ses ressources naturelles.

CHAPITRE 5
CROISSANCE ÉCONOMIQUE, DISPARITÉS RÉGIONALES
ENJEUX ET DYNAMIQUES DE CONVERGENCE

Introduction

La dimension économique revêt une importance primordiale dans le développement régional et la promotion des territoires. Cette importance a été mise en exergue par le Nouveau modèle de développement (NMD), qui a accordé une place de choix au rôle du territoire et il l'a considéré comme axe stratégique de sa mise en œuvre. La loi organique n° 111-14 relative aux régions, adoptée au Maroc, a placé le développement économique au cœur des priorités régionales en conférant à la région un rôle prééminent dans l'élaboration des plans de développement régionaux (PDR) et des schémas régionaux d'aménagement du territoire (SRAT). Cette dynamique régionale émane des objectifs stratégiques de la régionalisation avancée tels que définis dans les grandes orientations politiques et socio-économiques de l'État marocain.

La question économique a été une compétence exclusive de la région dans les différents découpages adoptés par les pouvoirs publics depuis le découpage de 1971 donnant lieu à sept régions économiques, suivies par celui de 1996, créant 16 régions jusqu'au dernier découpage de 2015 réduisant le nombre de régions à 12. Dans le même sens, le volet économique a occupé une place centrale au niveau des politiques publiques. Toutefois, malgré les progrès enregistrés en termes d'organisation territoriale, des inégalités interrégionales en matière de croissance économique et de développement des territoires persistent encore. Cela questionne ainsi le processus de convergence des régions, car, il a été constaté que l'évolution des disparités s'accentue et les écarts de développement entre les régions se creusent davantage.

Cette question de convergence économique a fait l'objet de nombreuses études théoriques et empiriques qui ont essayé de caractériser cette notion et de la mesurer. En effet, il existe des méthodes dédiées à la mesure de la convergence des régions issues de découpage régional. Dans ce cadre, la littérature économique distingue essentiellement deux notions de convergence : la β-convergence, qui s'intéresse à l'existence d'un mécanisme de convergence, et la σ-convergence, fondée sur l'évolution de la dispersion du PIB par habitant de différentes économies au cours du temps. Ces notions traduisant le rapprochement des régions vers un même sentier de croissance (Swan et Solow, 1956) ou une même valeur de référence. Ces deux concepts, introduits par Barro et Sala i (1990), renvoient à la mesure de la convergence.

S'inscrivant dans ce contexte, ce chapitre s'attachera à connaitre dans quelle mesure le dernier découpage régional permettrait une meilleure convergence et une intégration économique des régions, et, partant, contribuerait à la réalisation d'une réelle transformation structurelle de l'économie nationale et régionale. L'approche quantitative adoptée est basée sur la mesure de la convergence économique des régions moyennant le modèle d'estimation de la Beta-convergence et du sigma-convergence pour les 12 régions.

Dans un premier temps, seront présentées les études empiriques portant sur la mesure de la convergence en mettant en avant l'intérêt de cette démarche dans le développement économique des régions. Le deuxième temps sera consacré aux fondements méthodologiques de la mesure de la β-convergence et de la σ-convergence au niveau régional. Les résultats de cette modélisation seront présentés en derniers lieux.

1. Revue des études empiriques sur la croissance et la convergence

1.1 Dynamiques de croissance économique

Le thème de la convergence économique régionale a occupé depuis une dizaine d'années une place importante dans la littérature consacrée au développement du pays ou des régions. L'objectif consiste à savoir si les économies des régions ont tendance à se converger dans le temps vers le même niveau de revenu ou de production par tête d'habitants. Subséquemment, dans le cadre du dernier découpage régional de 2015, il est nécessaire de connaitre si les disparités régionales et territoriales se réduisent. Autrement dit, est-ce qu'il existe un mécanisme de rattrapage permettant à une économie régionale de rejoindre le niveau de revenu par tête d'une économie plus développée (Baumol, 1986) et (Barro et Sala-i, 1991,1992).

Les études empiriques menées sur la convergence ont connu un essor important et présentent souvent des résultats contradictoires (Quah et Durlauf, 1999) ; (Quah, 2001) ; (Islam, 2003) ; (Janikas et Rey, 2008). Selon Fuss (1999), on dit qu'il y a convergence lorsque la différence entre des séries statistiques ou leur dispersion se réduit dans le temps. Dans le même sens, les études empiriques prenant en compte les interdépendances de la dimension spatiale dans l'analyse de la convergence se sont multipliées début des années 2000.

Parmi les travaux qui ont abordé la question de la convergence économique, il est inévitable de citer le modèle de la croissance développée par Solow (1956). Ce modèle implore qu'il soit possible d'enregistrer une convergence économique entre régions ayant une croissance irrégulière. Le principe dudit modèle révèle que les disparités régionales initialement créées selon les différents découpages régionaux ont tendance à disparaître généralement avec le temps. Or, selon le modèle de Solow, les économies devaient à long terme converger vers le même état stationnaire à savoir le même capital par tête et la même production par tête. Donc, appliquer ce principe à la région, on peut d'ores et déjà anticiper que chaque région converge vers un taux de croissance du revenu par tête à long terme appelé « état stationnaire »[12].

La question de la convergence économique a été aussi abordée selon l'approche spatiale, car la croissance ne peut se réaliser sans un cadre territorial déterminant les conditions nécessaires à une production régionale équilibrée, favorisant ainsi un développement économique soutenu. Déjà dans les années 60, plusieurs travaux économiques ont mis l'accent sur le poids prépondérant de l'espace pour assurer un développement économique régional équilibré. Dans ce cadre, il convient de citer les travaux initiés par Williamson (1965), car ils mettaient en évidence le rôle de l'espace pour expliquer la croissance économique régionale au niveau d'un pays. Cette tendance a été également au cœur des investigations de Krugman (1991) démontrant que les activités économiques tendent à se concentrer autour de pôles de développement regroupant plusieurs régions ou sous-régions. Cette dynamique de polarisation entraîne souvent une redistribution des richesses, aussi bien entre les différentes régions qu'au sein d'une même région.

Dans ce contexte de développement régional, il est aussi important de mettre en évidence la performance économique

---

12. État stationnaire est un état de l'économie où le capital croît au même rythme que toutes les autres variables, c.-à-d. à un taux nul (cf. à Gilles de Truchis, la croissance et le modèle de Solow Macroéconomie, Semestre 2-Année 2014-2015).

des régions voisines. Cette réalité a été fortement révélée par Getis (1991), précisant que la répartition géographique des performances économiques des régions voisines est souvent similaire. Néanmoins, les disparités régionales persistent, affectant la contribution des différentes régions à la croissance du PIB national. Cette situation appelle une analyse approfondie à travers le prisme des études sur la convergence.

1.2. Disparités régionales et territoriales au Maroc

L'importance de l'économie dans le découpage régional au Maroc remonte aux années 1970. Il y avait un découpage basé uniquement sur l'aspect économique dite « la région économique ». Ce découpage fut son apparition en 1971 lorsqu'on avait créé sept régions économiques composées des préfectures et provinces voisines. Ces grands ensembles régionaux, qui n'avaient aucun pouvoir de décision ou de gestion (Berriane, 2015), ont été consultés uniquement lors de l'élaboration des plans de développement durant les années 1970 et 1980. Le découpage en 16 régions, adopté en 1996, est venu pour mettre en exergue les réalités humaines et économiques des régions. Cependant ce découpage n'a malheureusement pas été un précurseur d'un développement économique soutenu. En revanche, il a conduit à l'émergence de grandes disparités entre les régions et à l'intérieur de certaines d'entre elles.

Quant au nouveau découpage de 12 régions, il répond à une autre logique basée sur les grands pôles ou même de bipôles urbains rayonnants sur des espaces de croissance économique. Cependant, est-il capable de générer un effet d'entraînement entre les régions et de favoriser une réelle convergence de l'économie régionale ?

Les études menées par les institutions et organismes de contrôles et d'évaluation prouvent que les disparités territoriales sont devenues de plus en plus intolérables et posent de réels problèmes de développement économique, social et environnemental des régions. Plusieurs facteurs expliquent ce phénomène, notamment le manque de cohérence des politiques publiques, principalement au niveau régional, l'inefficacité des mécanismes de gouvernance et le manque de coordination des interventions des acteurs à l'échelle nationale et régionale. Malgré les efforts fournis par les pouvoirs publics à travers les découpages régionaux, les disparités entre régions ont toujours occupé une place centrale dans les approches empiriques dédiées au développement territorial. Les décideurs territoriaux et les chercheurs spécialisés dans le domaine du développement économique des territoires cherchent à savoir si le découpage régional tend vers la convergence ou au contraire à la divergence économique. Cela revient à connaître si les disparités territoriales sont en train de se creuser ou bien sont-elles orientées vers un processus de convergence régionale ?

Les indicateurs révélés par les comptes régionaux en 2019 du Haut-Commissariat au plan font ressortir de fortes disparités des taux de croissance du PIB entre les régions. En volume, sept régions sur douze ont enregistré des taux de croissance supérieurs à la moyenne nationale (2,6 %). Il s'agit des régions de Guelmim-Oued Noun (7,1 %), de Laâyoune-Saguia al Hamra (7 %), de Drâa-Tafilalet (5,8 %), de Béni Mellal-Khénifra (5,6 %), de l'Oriental (5,5 %), de Dakhla-Oued ed Dahab (4 %) et de Tanger-Tétouan-Al Hoceima (3,8 %).

La région de Marrakech-Safi a enregistré un taux de croissance, proche de la moyenne nationale, de 2,8 %. Les quatre régions restantes ont présenté des taux de croissance inférieurs à la moyenne nationale ; allant de 2,3 % dans la région de Souss-Massa à 0,6 % dans la région de Rabat-Salé-Kénitra.

Par ailleurs, 22,6 % de la croissance nationale est à mettre à l'actif de la région de Casablanca-Settat, dont la contribution à la croissance du PIB a été de 0,6 point. Les deux régions de Tanger-Tétouan-Al Hoceima et Béni Mellal-Khénifra ont participé successivement de 15,6 % et 12,3 % à la croissance du PIB en volume, soit 0,4 point et 0,3 point. Les neuf régions restantes ont contribué pour 50 % de la croissance enregistrée en 2019, soit 1,3 point.

Figure 8 : Graphique illustrant la contribution des régions à la croissance du PIB national (en %)

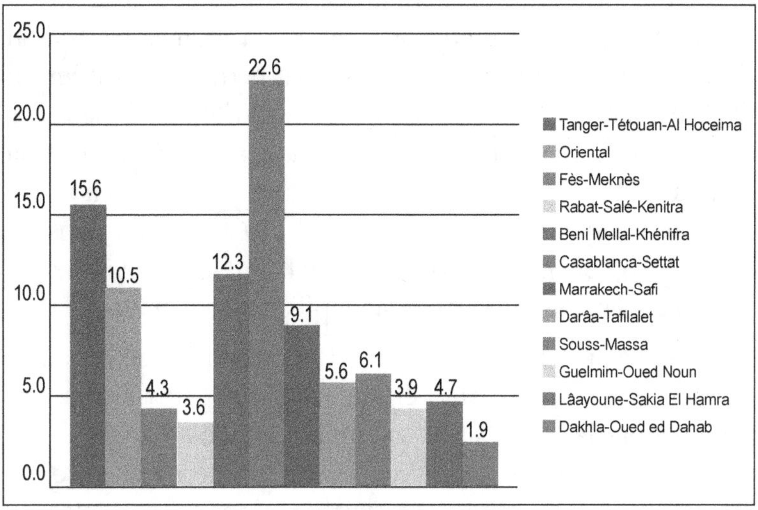

Source : HCP, Note d'information relative aux comptes régionaux de l'année 2019.

Quant au PIB régional par habitant, il s'élève à 32 394 DH en 2019 au niveau national. Six régions présentent un PIB par habitant supérieur à cette moyenne nationale. Il s'agit des régions de Dakhla-Oued-Ed-Dahab (86 166 DH), de Laayoune-Saguia al Hamra (51 202 DH), de Casablanca-Settat (50 075 DH), de

Guelmim-Oued Noun (38 858 DH), de Rabat-Salé-Kénitra (36 596 DH), et de Tanger-Tétouan-Al Hoceima (33 367 DH). Dans les autres régions, le PIB par habitant s'est situé entre 17 971 DH, enregistré dans la région de Drâa-Tafilalet et 27 197 DH dans la région de Souss-Massa. Ainsi, la dispersion du PIB par habitant est en augmentation. L'écart absolu moyen est passé de 13 106 DH en 2018 à 13 115 DH en 2019.

Il ressort clairement que la répartition inégale des activités et des projets d'investissement entre les régions est de nature à accentuer les disparités territoriales, et à rendre la contribution de certaines régions à la croissance économique nationale relativement faible. Cette réalité a été révélée par le NMD soulignant que les réformes entamées pour asseoir les bases d'un développement territorial équilibré ont permis d'insuffler un élan supplémentaire à la dynamique des territoires. Cependant, elles n'ont pas réussi à corriger les disparités territoriales dans la mesure où la richesse nationale demeure portée par un nombre réduit de régions. En effet, selon le HCP (2020), trois régions sur douze comptent pour près de 59 % du PIB (Casablanca-Settat, de Rabat-Salé-Kénitra et de Tanger-Tétouan-Al Hoceima).

Ce constat s'explique par la faible attractivité de certaines régions des investisseurs étrangers par rapport à d'autres régions, par la localisation géographique des régions et par les investissements nationaux destinés aux grands projets structurants qui permettent à certaines régions de se développer dans un rythme plus soutenu que d'autres. Ces réalités ont été mises en exergue par les théories de la nouvelle économie géographique (Krugman, 1991) en soulignant la forte relation qui s'établit de façon permanente entre la croissance économique et la géographie (Baumont, et al. 1999). De même, les propos de Martin (2001) ont bien révélé que la dimension géographique est fortement impliquée dans la structuration spatiale et la localisation des activités économiques à l'échelle territoriale.

Les analyses faites sur les disparités confirment leur persistance aussi bien sur le plan économique que sociale. Elles touchent les territoires (inégalités entre régions), mais aussi les milieux de résidence (urbain, périurbain, rural).

L'objectif recherché à travers cet exercice consiste à appréhender la tendance du système régional issu du dernier découpage et savoir plus particulièrement s'il y a effectivement une convergence des régions ou plutôt une divergence. Autrement dit, est-ce que les disparités régionales sont en train de se creuser ou sont-elles prises en compte dans un processus de convergence régionale durable ? Avec le dernier découpe régional, la dynamique de développement économique pourra-t-elle entraîner un éventuel rattrapage des régions riches par les régions pauvres ?

Ce phénomène sera mis en évidence par la β-convergence qui s'attachera à étudier les relations entre convergences économiques et la répartition spatiale des activités. La σ-convergence cherche à mesurer l'évolution des disparités économiques entre les régions du découpage adopté par le Maroc en 2015. Ces deux tests seront développés ultérieurement.

1.3. Convergences β et σ : enseignements des travaux empiriques

Il existe une forte corrélation entre la convergence et le modèle néoclassique de croissance de Solow-Swan. Le recours à ce concept permet de caractériser le rapprochement des économies des régions ou des pays en se basant sur un certain nombre de variables macroéconomiques, notamment le PIB par habitant, le ratio d'investissement, le taux de croissance annuel moyen de la population par région, le taux d'urbanisation de chaque région, etc.

Bien qu'elles aient montré souvent des résultats contradictoires (Hénin, Le Pen, et al., 1995, 1998, 2003 (Abreu et al., 2005), les études empiriques traitant de la convergence économique se sont fortement développées durant les dernières décennies (Bourdin, 2013). Cette contestation de résultats revient aux méthodes adoptées et approches utilisées d'une part et la manière avec laquelle la conception de la convergence des régions ou des pays a été opérée d'autre part. Les approches les plus usuelles dans ce domaine de convergence économique se sont fondées sur les tests de convergence en coupe transversale introduits par Baumol (1986), puis développés par Barro, Sala-i (1991, 1992). À ce niveau, deux tests ont été proposés ; la bêta et sigma convergence. La β-convergence essaye de mettre en évidence un éventuel rattrapage des régions/pays riches par les régions pauvres (relation négative entre le taux de variation et le niveau initial) tandis que la σ convergence cherche à mesurer l'évolution des disparités économiques (Bourdin, 2013) (réduction des écarts de PIB par habitant entre deux dates).

Plusieurs travaux empiriques ont été réalisés sur la convergence économique en utilisant l'approche par la β-convergence. Cette approche basée sur l'hypothèse de convergence signifie que la région disposant initialement d'un PIB par habitant plus faible que la moyenne devrait connaître un taux de croissance plus rapide que la moyenne durant la période d'étude.

La littérature empirique a développé deux notions de convergence : la convergence absolue (inconditionnelle) et conditionnelle. On dit que la convergence est absolue (inconditionnelle) si aucune autre variable n'est intégrée dans le modèle à estimer. La convergence est conditionnelle lorsqu'elle est dépendante d'autres variables exogènes relatives à la région. Il s'agit notamment du taux d'investissement par région, de la part de secteurs producteurs, etc.

2. *Méthodologie d'analyse de la convergence*

Dans le but de confirmer l'hypothèse 3 de recherche « Le découpage régional favoriserait une convergence à long terme entre les régions et permettrait une réduction des disparités régionales », il a été procédé à la modélisation en économétrie basée sur l'analyse de l'autocorrélation spatiale et l'estimation de β-convergence. Ce qui implique une tendance à l'égalisation à long terme du taux de croissance du PIB par habitant de 12 régions issues du dernier découpage. La durée de l'étude considérée couvre la période 2004 à 2019.

Le choix de cette période est dicté essentiellement par la contrainte de disponibilité des données à l'échelle régionale. Pour la modélisation économétrique visant à mesurer les disparités entre les régions à travers la convergence économique régionale et qui requiert des observations sur une longue période (2004-2019), seuls quelques indicateurs ont été retenus. En effet, le PIB réel/habitant et quatre variables explicatives ont été retenus, car ce sont les rares données accessibles sur une période suffisamment étendue.

La période d'étude a été subdivisée en trois périodes de cinq ans, chacune. Ce découpage se justifie par le fait que, dans une régression de bêta convergence basée sur des données de panel, il est courant dans la littérature empirique de segmenter la période totale en sous-périodes de taille réduite (par exemple, des moyennes de 5 ans du PIB/habitant), et ce, pour :

- Réduire l'autocorrélation temporelle des résidus ;
- Diminuer le bruit des variations annuelles ;
- Faciliter l'interprétation des coefficients de convergence.

L'utilisation de périodes de cinq ans permet d'obtenir 36 observations pour la β-convergence absolue et conditionnelle, garantissant ainsi des estimations plus stables du paramètre β.

Ce choix méthodologique contribue également à absorber les chocs transitoires de court terme, à renforcer la robustesse des résultats économétriques et à mieux identifier les dynamiques de convergence sur des cycles économiques pertinents.

Le Test utilisé est celui de Hausman,[13] qui permet de tester la présence d'une corrélation ou non entre les effets spécifiques et les variables explicatives du modèle. Ce qui permet de choisir entre le modèle à effets fixes et le modèle à effets aléatoires, selon Kpodar (2007).

Par ailleurs, il y a lieu de soulever quelques limites de la méthodologie liées notamment aux problèmes de la disponibilité de quelques données sur le plan régional et par rapport aux différents secteurs d'activités.

2.1. Convergence β absolue (ou inconditionnelle)

Or, connaitre la convergence économique des régions revient à mesurer les disparités entre les différentes régions, afin de quantifier cette disparité, il importe d'estimer l'équation suivante :

$$\frac{1}{k}\ln\left[\frac{y_{i,t}}{y_{i,t-k}}\right] = \alpha + \beta \ln\left(y_{i,t-k}\right) + \varepsilon_{i,t} \qquad (5.1)$$

Avec y = PIB par habitant et k = 5 ans Et i = indice de la région, α et β sont des paramètres inconnus à estimer et ε_i un terme d'erreur aléatoire.

---

13. The Hausman specification test is a test that can be applied to many specification problems in econometrics. Its most widespread application is in specification tests for panel effects. HAUSMAN, J. A. (1978) Specification tests in econometrics. Econometrica, volume 46, issue (6 Nob., 1978) pp. 1251–1271.

Généralement, l'analyse de la β-convergence (inconditionnelle) consiste à démontrer si les régions à revenu initial faible relativement à leur position à long terme croitront plus vite que les régions à revenu initial élevé. On dit qu'il existe une β-convergence lorsque β a un signe négatif et statistiquement significatif, car, dans ce cas, le taux de croissance moyen du PIB par tête entre les dates 0 et t est négativement corrélé avec le niveau initial du PIB par tête.

2.2. Convergence β conditionnelle

La convergence est conditionnelle lorsqu'elle est dépendante d'autres variables exogènes relatives à la région. Le test de l'hypothèse de β-convergence conditionnelle s'effectue à travers l'équation de convergence de certaines variables permettant de maintenir constant l'état stationnaire des régions :

$$\frac{1}{k}\ln\left[\frac{y_{i,t}}{y_{i,t-k}}\right] = \alpha + \beta\ln\left(y_{i,t-k}\right) + \delta X_{i,t-k} + \varepsilon_{i,t} \quad (5.2)$$

- Avec X, vecteur des variables de contrôle introduites, qui permet de maintenir constant l'état stationnaire de la région i
- δ représente l'effet marginal des variables explicatives $X_{i,t-k}$ sur la croissance du PIB par tête
- εi est le terme d'erreur.

Il importe de préciser à ce propos que les études empiriques sur la convergence font appel habituellement à plusieurs variables explicatives. Généralement, ces variables ne sont pas explicitement liées à un modèle de croissance bien défini, mais sont choisies d'une façon ad hoc ou arbitraire en fonction des spécificités conjoncturelles et structurelles du territoire étudié.

Dans la littérature empirique, plusieurs variables sont utilisées avec une absence de consensus concernant leur introduction dans l'analyse de la convergence. Les effets attendus de ces variables de contrôle sur le taux de croissance correspondent à leurs influences sur la position de l'état régulier.

Il s'agit notamment des variables liées au PIB/hab., le taux d'investissement, le taux de croissance démographique régional, le ratio de l'investissement domestique (FBCF/PIB), le degré d'instabilité politique, le ratio de la consommation publique régionale (Dépenses budgétaires sur le PIB), etc. En raison du manque de données pour la période d'étude concernant les 12 régions, quatre variables de contrôle ont été sélectionnées, à savoir :

1. Le taux de croissance de la population sur la période considérée ;
2. Le taux d'investissement en % du PIB en début de période ;
3. La part du secteur agricole dans la Valeur ajoutée totale de chaque région ;
4. La part des services dans la VA totale de chaque région.

Les variables 3 et 4 ont été choisies pour tenir compte des spécificités sectorielles au niveau des 12 régions.

Par ailleurs, l'estimation de β permet de calculer la vitesse de convergence selon l'équation suivante :

$$\theta = \ln(1 + \beta T) / T \quad (5.3)$$

Avec T est la longueur de la période d'étude

Quant à la durée nécessaire pour que les économies des régions comblent la moitié de l'écart qui les sépare de leur état stationnaire, elle est appelée la demi-vie (Half life) :

$$\tau = -\frac{\ln(2)}{\ln(1+\beta)} \quad (5.4)$$

2.3. Estimation de la convergence σ

Quant à la σ-convergence, la référence a été faite à la proposition de Hénin et Le Pen (1995) consistant à concevoir une autre façon d'analyser la σ-convergence, plutôt que de se baser sur l'évolution de coefficients de dispersion, un test de réduction de la dispersion peut être effectué. Pour ce faire, l'équation suivante a été considérée :

$$\ln\left(y_{i_t}\right) - \ln\left(y_{i_0}\right) = a - b\ln\left(y_{i_0}\right) + \varepsilon_i \quad (5.5)$$

Selon Hénin et Le Pen (1995), il y a β-convergence si b est négatif. Il y a σ-convergence si la variance de y_{i_0} décroît dans le temps.

Donc, cette équation peut se réécrire comme :

$$\ln\left(y_{it}\right) = a - b\ln\left(y_{i_0}\right) + \ln\left(y_{i_0}\right) + \varepsilon i_t \quad (5.6)$$

$$\ln\left(y_{i_t}\right) = a + (1-b)\ln\left(y_{i_0}\right) + \varepsilon i_t \quad (5.7)$$

En considérant la variance de chacun des deux côtés, on aura :

$$\left(\ln y_{i_t}\right) = (1-b)^2 \times \left(\ln y_{i_0}\right) + \left(\varepsilon i_t\right) \quad (5.8)$$

$$\frac{\left(\ln {}_{it}\right) - \left(\varepsilon_{it}\right)}{\left(\ln yi_0\right)} = (1-b)^2 \quad (5.9)$$

$$\frac{\left(\ln y_{it}\right) - \left(\varepsilon_{it}\right)}{\left(\ln y_{it}\right)} \times \frac{\left(\ln y_{it}\right)}{\left(\ln yi_0\right)} = (1-b)^2 \quad (5.10)$$

Soit R^2 le coefficient de corrélation :

$$R^2 \times \frac{(\ln y_{it})}{(\ln yi_0)} = (1 - b)^2 \qquad (5.11)$$

$$\frac{(1-b)^2}{R^2} = \frac{(\ln y_{it})}{(\ln yi_0)} \qquad (5.12)$$

Il y a σ-convergence lorsque $\frac{(\ln y_{it})}{(\ln yi_0)}$ <1, c'est-à-dire lorsque $(1\text{-}b)^2 < R^2$

Donc :

Le test de la σ-convergence consiste à comparer un indicateur de dispersion, calculé à la fin de la période, à celui calculé au début de la période. Deux indicateurs de dispersion sont habituellement utilisés : l'écart-type du PIB par tête en ln ou le coefficient de variation.

Ainsi, le coefficient de variation utilisé pour estimer le paramètre de dispersion se base sur l'écart-type selon la formule suivante :

$$CV = \frac{Ecart\text{-}type\ du\ logarithme\ du \frac{PIB}{habitant}}{moyenne\ du\ logarithme\ du \frac{PIB}{habitant}} \qquad (5.13)$$

3. Résultats et interprétations

3.1. Analyse de la σ-convergence

Le calcul du coefficient de variation et de l'écart-type pour chaque année et pour chaque région a été effectué, selon l'équation (5,13). Si le CV diminue, il y a convergence entre les régions, s'il augmente, il y a divergence entre les régions, s'il est constant, la convergence est insignifiante.

Selon la littérature empirique, ce ratio du CV est plus pertinent que l'écart-type ou la variance, puisque ces derniers sont inclus dans son calcul. Généralement, le CV[14] (Barro, Sala-i [1991] est préféré aux autres indicateurs de dispersion, car il n'est pas biaisé par les différences du niveau moyen de la variable concernée dans le temps.

Figure 9 : Présentation des résultats de la Sigma-convergence

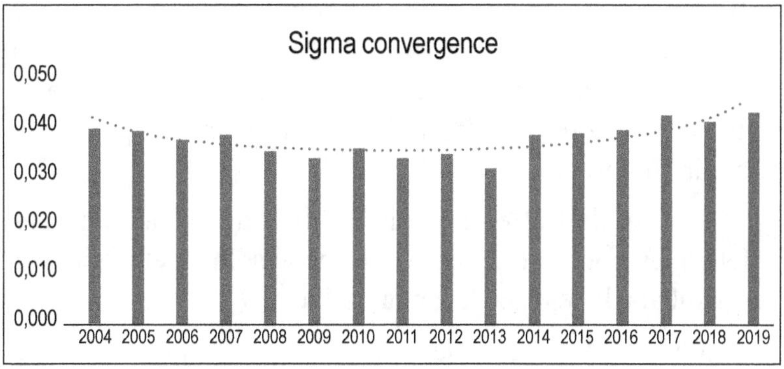

Source : élaboration par l'auteur en utilisant le logiciel.

Les résultats montrent qu'il y a une tendance cassée en termes de convergence entre les PIB par habitant des 12 régions du Royaume. Dans la première phase allant de 2004 à 2013, le coefficient de variation du logarithme du PIB par habitant [CVL] a connu une baisse quasi continue, attestant d'une convergence entre les 12 régions. En revanche, à partir de 2013 et jusqu'à 2019, la tendance s'est inversée et on assiste à une augmentation de la dispersion avec une hausse du coefficient de variation qui indique plutôt une divergence entre les régions. Cela peut expliquer par le fait que certaines régions, notamment Casablanca-Settat, Tanger-Tétouan-Al Hoceima

14. Le coefficient de variation (rapport de l'écart-type à la moyenne) est une mesure plus appropriée de la dispersion, puisqu'elle ne dépend pas de l'unité de mesure.

et Rabat-Salé-Kénitra, ont bénéficié davantage de grands projets structurants permettant ainsi une variation significative de leur PIB/hab.

3.2. Résultats de β-Convergence absolue ou inconditionnelle

Les résultats sont obtenus sur la base d'une régression en panel au lieu d'une régression en coupe transversale, car le nombre de régions est très réduit [12 régions]. La régression en panel avec effets aléatoires a été appliquée aux 12 régions, mais sur trois sous périodes de 5 années chacune, ce qui permet d'avoir 36 observations.

Le choix de l'effet aléatoire au lieu de la méthode des effets fixes pour la Beta convergence absolue a été dicté par les résultats du test de Hausman [tableau 9].

Comme indiqué dans la méthodologie, l'équation [5,1] a permis d'estimer la bêta-convergence absolue :

$$\frac{1}{k}\ln\left[\frac{y_{i,t}}{y_{i,t-k}}\right] = \alpha + \beta \ln\left(y_{i,t-k}\right) + \varepsilon_{i,t}$$

Avec y = PIB par habitant et k = 5 ans Et i = indice de la région

Tableau 9 : Test de Hausman bêta-inconditionnelle

Correlated Random Effects – Hausman Test			
Équation : Beta-conv_Absolue			
Test cross-section random effects			
Test Summary	Chi-Sq. Statistic	Chi-Sq. d.f.	Prob.
Cross-section random	2.174622	1	**0.1403**

Source : élaboration par l'auteur en utilisant le logiciel.

Le test de Hausman indique que l'estimation par effets aléatoires est la plus appropriée dans ce cas [dans le tableau 9, la prob > 0,05].

Les résultats de l'estimation de l'équation [5,1] montrent que le coefficient β est non significatif [dans le tableau 10], le coefficient de β a une p-value > 0,05). Par conséquent, on rejette l'existence d'un processus de bêta-convergence. En d'autres termes, la bêta convergence absolue montre qu'il n'y a pas de convergence entre les 12 régions.

Tableau 10 : Résultats de l'estimation de l'équation (5,1) de la bêta-convergence absolue, par effets aléatoires

Method : Panel EGLS (Cross-section random effects)				
Periods included : 3				
Cross-sections included : 12				
Total panel (balanced) observations : 36				
Swamy and Arora estimator of component variances				
Variable	Coefficient	Std. Error	t-Statistic	Prob.
Constante	0,113 241	0,123 415	0,917 563	0,365 3
$Y_{t,t-k}$	**-0,007 726**	0,012 414	-0,622 387	**0,537 8**
R-squared	0.010893			

Source : élaboration par l'auteur en utilisant le logiciel

3.3. Résultats de la β-Convergence conditionnelle

L'estimation de la bêta-convergence conditionnelle consiste à augmenter l'équation (5,1) par des variables de contrôle pour tenir compte des spécificités de chaque région. Les variables additionnelles introduites sont inspirées de la littérature. En raison du manque de données couvrant toute la période d'étude pour les 12 régions, seules quatre variables, comme indiqué précédemment, ont été retenues.

Ainsi, comme il a été mentionné dans la partie réservée au modèle, l'équation (5,2) à estimer devient :

$$\frac{1}{k}\ln\left[\frac{y_{i,t}}{y_{i,t-k}}\right] = \alpha + \beta\ln\left(y_{i,t-k}\right) + \delta X_{i,t-k} + \varepsilon_{i,t}$$

Avec X vecteur des variables de contrôle introduites

Le test de Hausman indique cette fois-ci que c'est la méthode à effets fixes qui est la plus appropriée (dans le tableau 11, la Prob <0,05).

Tableau 11 : Test de Hausman bêta-Convergence conditionnelle

Correlated Random Effects–Hausman Test			
Équation : beta-conv_condit.			
Test cross-section random effects			
Test Summary	Chi-Sq. Statistic	Chi-Sq. d.f.	Prob.
Cross-section random	13.133761	5	**0.0222**

Source : élaboration par l'auteur en utilisant le logiciel.

En termes de résultats, l'estimation de l'équation (5,2) par effets fixes montre que le coefficient β relatif au terme Yi,t-k est négatif et significatif (dans le tableau 12, le coefficient β a une P-value < 0,05). Cela veut dire qu'il existe cette fois-ci un processus de convergence vers un état stationnaire au sens de la bêta-convergence conditionnelle.

Le fait que les deux types de convergences sigma et bêta absolues ne permettent pas de prouver l'existence d'une convergence apparente, alors que la Beta-convergence conditionnelle le permet, peut-être expliqué par le fait que Beta-convergence conditionnelle n'est qu'une condition nécessaire et pas suffisante pour arriver à la baisse de la dispersion entre les régions au sens du sigma-convergence. En outre, la bêta convergence conditionnelle lorsqu'elle existe, elle ne signifie pas que les régions convergent toutes vers le même équilibre, mais plutôt que chaque région converge vers son propre état stationnaire[15] (qui n'est pas forcément le même pour toutes les régions). Cela s'explique par des spécificités différentes de chaque région ou bien parce que certaines régions ont pu subir des chocs particuliers qui ne sont pas généralisés aux autres régions.

15. État stationnaire est un état de l'économie où le capital croît au même rythme que toutes les autres variables, c.-à-d. à un taux nul

Tableau 12 : Résultats de l'estimation de l'équation (5,2) de la bêta-convergence conditionnelle, par effets fixes

Dépendent Variable : (LOG[PIBHAB_]-LOG[PIBHAB_[-1]])/5				
Method: Panel Least Squares				
Periods included: 3				
Cross-sections included: 12				
Total panel (balanced) observations : 36				
White cross-section standard errors & covariance (d.f. corrected)				
Variable	Coefficient	Std. Error	t-Statistic	Prob.
C	0.471638	0.079077	5.964316	0.0000
$Y_{i, t-k}$	-0.044723	0.006734	-6.641719	0.0000
RATIO d'Investissement $_{(t-k)}$	-0,000 523	0,000 342	-1,531 647	0,142 1
Croissance de la population	-1,612 956	0,333 139	-4,841 686	0,000 1
Part des services dans le PIB (t-k)	0,001 283	0,000 432	2,970 044	0,007 9
Part de l'agriculture dans le PIB $_{(t-k)}$	-0,003 347	0,000 636	-5,262 698	0,000 0
R-squared ajusté	0,52			

Source : élaboration par l'auteur en utilisant le logiciel.

Il ressort de ce tableau que certaines variables explicatives ne sont pas significatives. Mais dans les analyses empiriques où l'on cherche à expliquer un phénomène via une modélisation, il est généralement conseillé de conserver des variables explicatives qui ont une justification théorique, même lorsqu'elles ne sont pas significatives, car on risque d'adopter une interprétation biaisée des résultats.

À ce titre, la variable ratio d'investissement n'est pas significative certes, mais ce résultat en lui-même constitue un bon indice sur le faible retour sur investissement (le Maroc est caractérisé par un Coefficient Marginal du Capital [ICOR][16] élevé de 9,4 en moyenne durant la période 2000-2019)[17] et l'impact très faible de l'investissement sur la croissance et la convergence des régions. Ce résultat confirme les analyses économiques des rapports d'organismes internationaux comme la Banque Mondiale, le FMI et des institutions marocaines, précisant que le Maroc consent un effort d'investissement important et constant, mais qui donne lieu jusqu'à présent à une croissance économique anémique, en tendance baissière, et dont les retombées ne profitent pas de la même manière à toutes les régions.

S'agissant de la vitesse de convergence et le Half life ratio, ils ne seront calculés que pour la Beta convergence conditionnelle, puisque le coefficient de la Beta convergence absolue n'est pas significatif.

Ainsi pour la convergence conditionnelle :

La vitesse de convergence moyenne **θ** des régions vers leurs propres états stationnaires est égale à 5,1 % par an selon la formule (5,3) ci-après :

$$\theta = \ln(1 + \beta T) / T$$

---

16. Coefficient marginal du capital (ICOR) L'ICOR (Incremental Capital Output Ratio).

17. Ce ratio s'établit à 5,7 en moyenne pour les pays de la catégorie à revenu intermédiaire-tranche inférieure à laquelle appartient le Maroc (Données de Bank Al Maghrib : « Bank Al-Maghrib et la situation de l'investissement », Commission des finances et du développement économique, Chambre des Représentants, 15 février 2022.

Le ratio de Half Life est égal à 15 selon la formule (5,4) :

$$\tau = -\frac{\ln(2)}{\ln(1+\beta)}$$

Par conséquent, il faudrait 15 ans pour que la moitié de l'écart qui sépare le PIB par hab d'une région de son état stationnaire se dissipe.

Conclusion

En guise de conclusion, et comme il a été mentionné dans les parties précédentes, l'un des principaux problèmes qui persistent au niveau régional est le niveau élevé des inégalités territoriales. En effet, à l'aide de la modélisation adoptée en approchant la croissance économique des 12 régions à travers l'étude de la convergence a montré ce qui suit :

- Les résultats obtenus à partir du test de sigma-convergence attestent d'une convergence entre les 12 régions durant la première phase allant de 2004 à 2013, car le coefficient de variation du logarithme du PIB par habitant (CV) a connu une baisse quasi continue. Toutefois, à partir de 2013 et jusqu'à 2019, la tendance s'est inversée et on assiste à une augmentation de la dispersion avec une hausse du coefficient de variation qui indique plutôt une divergence entre les régions ;
- L'analyse économétrique a montré que la sigma-convergence et la bêta-convergence inconditionnelle ne permettent pas de prouver l'existence d'une convergence, mais plutôt une divergence entre les régions ;
- Lorsqu'on a introduit les variables de contrôles, la bêta convergence conditionnelle a permis de démontrer une convergence entre les régions. Cela peut être expliqué par

le fait que la bêta convergence conditionnelle n'est qu'une condition nécessaire et pas suffisante pour arriver à la baisse de la dispersion entre les régions au sens du sigma convergence. En outre, la bêta convergence conditionnelle lorsqu'elle existe, elle ne signifie pas que les régions convergent toutes vers le même équilibre, mais plutôt que chaque région converge vers son propre état stationnaire (qui n'est pas forcément le même pour toutes les régions) et ce, en raison des spécificités différentes de chaque région ou bien parce que certaines régions ont pu subir des chocs particuliers et des interventions de l'État qui ne sont pas généralisées d'une manière équitable aux autres régions ;

- Les résultats de cette modélisation ne permettent pas de confirmer la troisième hypothèse de recherche : « le découpage régional de 2015 ne favoriserait pas une convergence entre les régions et ne permettrait pas une réduction des disparités régionales ». En effet, ni la sigma-convergence ni la bêta-convergence inconditionnelle ne permettent de prouver l'existence d'une convergence entre les régions. La bêta-convergence conditionnelle le permet, mais ça reste une convergence de chaque région vers son état stationnaire. Même à ce niveau, il faudrait 15 ans pour que la moitié de l'écart qui sépare le PIB par habitant d'une région de son état stationnaire se dissémine.
- Le futur découpage régional doit intégrer les résultats de la convergence économique et doit faire en sorte à ce que les vocations et les spécificités des régions constituent l'un des critères de découpage des régions. La croissance économique des régions nécessite un découpage qui privilégie la complémentarité des régions du point de vue richesse et potentialités avec la possibilité de faire bénéficier toutes les régions d'une ouverture sur la mer pour améliorer leur compétitivité économique. En effet, avoir

un nombre réduit des régions lors de prochain découpage avec des potentialités et des possibilités de disposer des infrastructures portuaires et aériennes est de nature à augmenter leurs richesses et leur contribution au PIB national, de réduire les inégalités interrégionales et, in fine assurer une convergence entre les régions.

- Les politiques publiques doivent intégrer la question de la convergence économique des régions et adoptent des mesures incitatives, comme des primes aux territoires les moins développés pour encourager l'investissement et créer de la richesse et améliorer la croissance économique des régions. À ce titre, la loi-cadre n° 03-22 formant charte de l'investissement pourrait contribuer à réduire les disparités régionales.

CHAPITRE 6
APPROCHE MÉTHODOLOGIQUE POUR LA DÉTERMINATION DE LA TAILLE ÉCONOMIQUE OPTIMALE MINIMALE DES RÉGIONS

Introduction

L'analyse effectuée des trois dimensions démographique, environnementale et économique a permis de décortiquer les insuffisances enregistrées en termes de développement économique des régions issues du dernier découpage régional. En effet, le modèle économétrique adopté a montré que la sigma-convergence et la bêta-convergence ne permettent pas de prouver l'existence d'une convergence, mais plutôt une divergence entre les régions. Ce qui a confirmé la persistance des disparités entre les régions. De même, la prise en compte de la démographie et du capital naturel semble primordiale dans tout découpage régional.

L'étude du benchmark sur plusieurs découpages, notamment celui du Chili, de l'Espagne, de l'Italie et de l'Afrique du Sud, montre qu'il n'existe pas un modèle type à suivre, mais chaque pays adopte son plan de découpage des régions en fonction de ses spécificités et des orientations économiques et politiques, mais aussi des objectifs définis par le découpage. Pour certains auteurs, il n'existe en la matière aucun découpage parfait, capable de satisfaire simultanément tous les objectifs de façon à répondre à la fois aux attentes des acteurs et aux exigences du développement.

Cette étude empirique sur les trois dimensions a permis d'approfondir la réflexion sur le développement économique des régions, étant donné que cette composante constitue l'une des compétences propres de la région selon la loi organique n° 111-14 relative aux régions. La nouvelle organisation territoriale permet la montée en force progressive du rôle des régions dans la réalisation de projets de développement économique dans les secteurs d'intérêt public.

Conformément au dernier découpage régional, le Maroc compte désormais 12 régions dont la contribution à la production de la richesse nationale demeure inégale. Ces disparités économiques posent de véritables problématiques liées notamment à la répartition des richesses et de projets d'investissement entre les différentes régions, et ce, malgré les réformes déjà engagées, parmi ces réformes, figurent la loi-cadre 03-22 formant charte de l'investissement, l'adoption de la charte de la déconcentration administrative, la réforme des Centres Régionaux d'Investissement (CRI), la création des commissions régionales d'investissement, la simplification des procédures et des formalités administratives, la création du Fond Mohammed VI pour l'investissement, le développement du partenariat public-privé ainsi que l'adoption de la loi-cadre n° 69-19 portant sur la réforme fiscale.

Par ailleurs, le rapport entre croissance économique et développement humain (ou durable) soulève aujourd'hui des défis inédits, reflétant une tension de plus en plus marquée. La croissance économique peut être un outil important pour le développement humain et durable si elle est pensée de manière responsable et intégrée. À cet égard, et afin de concilier croissance économique et développement humain durable, il est essentiel d'adopter des politiques holistiques prenant en compte les impacts économiques, sociaux et environnementaux au niveau régional.

Ainsi, pour pallier la problématique complexe et multidimensionnelle des disparités territoriales, il est essentiel de maîtriser entre autres les variables et les indicateurs pertinents à considérer lors des découpages régionaux. Cela passe par la mise en œuvre d'outils de prédiction fiables et précis. Les analyses économétriques et les méthodes de prédiction constituent aujourd'hui des outils essentiels pour améliorer le choix des variables permettant de concevoir un découpage régional qui respecte un certain nombre d'indices liés à la vocation, à la répartition équilibrée des ressources, à l'attractivité économique des régions, etc.

De ce fait, il est intéressant d'explorer davantage les aspects économiques pour mieux identifier les variables pertinentes et mesurer la taille économique régionale, à partir de l'intégration de trois dimensions ; démographique, environnementale et économique. Approcher ce volet revient donc à répondre à la question suivante : comment déterminer une taille économique optimale minimale d'une région ?

Ce chapitre entend tester sur le plan méthodologique une modélisation prédictive basée sur l'apprentissage profond (le modèle MLP) pour déterminer la taille économique optimale minimale d'une région. Il donne lieu, dans un premier temps, à une présentation des travaux et études empiriques ayant approché la notion de la taille optimale. Dans un deuxième temps, ils seront présentés la démarche méthodologique retenue et les outils d'investigation mobilisés. Ce chapitre s'achève enfin par une présentation des résultats, des conclusions et des implications de la recherche.

1. Revue des études sur la taille économique optimale des régions

La notion de la taille optimale n'a pas fait l'objet des travaux et études empiriques spécifiques. Mais, il existe de nombreux auteurs qui ont contribué à définir ou à discuter de la taille optimale dans différents contextes.

Dans ce cadre, Chatelais (2011) a précisé que la taille d'un pays « dépends tout d'abord de la dimension retenue, à savoir la taille géographique (superficie, démographie) et la taille économique ». Cette définition reste valable pour caractériser la taille d'une région selon la dimension retenue (démographique, économique, etc.).

En France, début des années 2000, la question de la taille d'une région a suscité un débat élargi. Dumont (2004) a souligné que le débat sur la taille des régions est presque exclusivement franco-français, les autres pays européens ne s'y intéressant guère. Évoquer une taille des régions considérée comme critique, cela peut signifier vouloir suspendre toute accentuation de la régionalisation à la création de grandes régions.

Les critères considérés par Dumont (2004) pour caractériser la taille ou la dimension de la région sont le nombre d'habitants et l'étendue spatiale (quatre types de régions sont proposées : la plus peuplée, la moins peuplée, la plus vaste et la moins vaste).

Pour Siroën (2002), la taille optimale des nations est la combinaison de facteurs économiques, géographiques et socioculturels. Cet auteur a étudié la question de la taille optimale qui varie avec le nombre de régions ou provinces intégrées dans un État-nation. Les outils d'analyse qu'il a adoptés puisent dans la boîte de la théorie économique.

Alesina et al. (2005) ont procédé à l'estimation des équations de régression liant la croissance économique à la taille des pays pour 113 nations sur la période 1960-2000. Les résultats obtenus à travers les estimations de régression, apparemment sans relation apparente, ainsi que la méthode des moindres carrés en trois étapes, indiquent que la taille des pays a un impact positif et significatif sur la croissance économique.

Dans le même sens, les travaux empiriques sur la relation entre taille et performances économiques (Éloi et Le Cacheux,

2010) ont mis en relief des critères habituels à savoir le taux de croissance, le taux d'inflation et le taux de chômage. De plus, Banzouzi & al. (2022) ont analysé la relation entre la taille des pays et la croissance économique, notamment dans les pays en développement, particulièrement ceux de la communauté économique et monétaire de l'Afrique centrale (CEMAC).

Aujourd'hui, les études empiriques qui s'intéressent à la question de la taille optimale dressent un ensemble de variables ou indicateurs pour l'approcher. La majorité de ces travaux tendent vers une combinaison d'un certain nombre de critères, notamment la population, le PIB, la superficie, l'emploi, l'investissement. Par rapport au pays, la littérature économique sur la taille (Éloi et Le Cacheux, 2010) repose essentiellement sur deux critères : la population et le PIB. À partir de ces critères, et selon les contextes, on peut souhaiter distinguer entre « petit », « moyen », « grand », voire « géant » pays.

L'analyse des études économiques et des travaux empiriques sur la relation entre la taille et la performance économique a pu relever un certain nombre de variables, liées à la taille d'un territoire. Des auteurs ont proposé de combiner pour la taille optimale, les critères économiques, géographiques et socioculturels (Berry, 1967) et (Krugman, 1991). Ainsi, les variables les plus pertinentes dégagées de ces études empiriques en lien avec la taille d'un pays sont :

- PIB
- Population (urbaine, rurale)
- Superficie
- Taux de croissance
- Création de l'emploi
- Investissement,

Il convient de préciser que la variable « population » est utilisée pour caractériser la taille des régions en France (Dumont, 2004). Les autres variables sont souvent utilisées pour la taille optimale d'un pays ou d'une nation. Étant donné qu'une région constitue une entité territoriale importante et partage souvent des caractéristiques similaires à celles d'une nation (économiques, sociales, politiques, démographiques), il a été jugé pertinent d'adopter ces mêmes variables pour les régions. Cependant, d'autres critères qui montrent une corrélation significative avec le PIB ont été ajoutés afin de refléter pleinement les trois dimensions ; démographique, environnementale et économique. Il est important de souligner que certains indicateurs issus des études et travaux économiques sur la taille optimale coïncident parfaitement avec ceux identifiés dans l'étude de benchmarking. Parmi ces indicateurs figurent le PIB, la superficie, la population totale, ainsi que la population rurale, entre autres.

2. Variables déterminantes et apports innovants de l'intelligence artificielle dans l'analyse territoriale

L'examen des études empiriques montre que, malgré les interprétations émises par les différents auteurs pour une configuration optimale des régions, ils n'arrivent pas à dégager un consensus sur une démarche empirique permettant de déterminer la taille optimale d'une région. Ce qu'ils ont essayé de mettre en exergue c'est la proposition d'un certain nombre d'indicateurs économiques, démographiques, *etc.*, pour caractériser la taille optimale, notamment d'un pays, d'un territoire ou d'une nation.

Au regard de sa complexité, la question de la taille économique optimale d'une région ne peut pas être approchée par les démarches classiques de modélisation économétrique. Pour ce faire, la réflexion a été orientée vers des modèles de prédiction basés sur l'apprentissage automatique « *Machine*

Learning », notamment le « *Deep Learning* » (Shalev-Shwartz, et Ben-David, 2014).

La force de la Machine Learning (Blum, 1997) réside dans la facilité qu'il offre pour développer des modèles très complexes, capables d'analyser des milliers de facteurs. Le principe fondateur de la Machine Learning consiste à rechercher la meilleure adéquation entre la complexité d'un modèle mathématique et celle des données à traiter. Le recours à ce modèle est dicté également par le type des variables qui se caractérisent par leur continuité dans le temps.

L'apprentissage automatique (*Machine Learning*) est un sous-domaine de l'intelligence artificielle (IA) qui se concentre sur le développement des techniques permettant aux ordinateurs d'apprendre à partir de données. L'objectif principal de l'apprentissage automatique est de permettre aux machines de prendre des décisions ou d'effectuer des tâches sans être explicitement programmées pour chaque étape.

Selon Samuel (1959), la Machine Learning consiste à laisser l'ordinateur apprendre quel calcul doit effectuer, plutôt que de lui donner ce calcul (c'est-à-dire le programmer de façon explicite). C'est en tout cas la définition de la Machine Learning selon cet auteur. « Machine Learning is the science of getting computers to learn without being explicitly programmed. » (Samuel, 1959) (Saint-Cirgue, 2019).

La théorie de l'apprentissage automatique, connue sous le nom de théorie de l'apprentissage informatique, vise à comprendre les principes fondamentaux de l'apprentissage en tant que processus informatique (Blum, 1997). Dans le même sens, cette théorie aspire à aider à la conception de méthodes d'apprentissage mieux automatisées et de comprendre les problèmes fondamentaux du processus d'apprentissage lui-même. Cette théorie tire des éléments de la théorie du calcul et des statistiques et implique des tâches telles que la création des modèles mathématiques, l'analyse mathématique des questions d'ordre général et complexe, etc., elle permet de développer un modèle mathématique à partir des données disponibles (données d'entraînement).

La méthode la plus utilisée dans l'apprentissage automatique est l'apprentissage supervisé. À cet égard, il convient de rappeler qu'il existe plusieurs types d'apprentissage automatique, dont les plus courants sont les suivants (Saint-Cirgue (2019) :

- Apprentissage supervisé (Supervised Learning) : un algorithme est entraîné sur un ensemble de données étiquetées, où chaque exemple de données est associé à une étiquette ou à une réponse attendue. L'algorithme apprend à faire des prédictions en se basant sur ces exemples étiquetés, ce qui lui permet de généraliser et de prendre des décisions sur de nouvelles données.
- Apprentissage non supervisé (Unsupervised Learning) : les données utilisées ne sont pas étiquetées. L'objectif est de découvrir des structures ou des modèles cachés dans les données, comme des groupes de similarités entre les exemples (clustering) ou des relations entre les variables (réduction de dimension).
- Apprentissage par renforcement (Reinforcement Learning) : un agent interagit avec un environnement et apprend à prendre des actions qui maximisent une récompense cumulative.

L'apprentissage supervisé a été choisi en raison de la limitation des bases de données disponibles et de la nature complexe du problème traité, qui nécessite l'utilisation de la régression non linéaire.

La base de données (*Dataset*) comprend généralement les variables suivantes :

- La variable ***y*** porte le nom de cible (*target*). C'est la valeur que l'on cherche à prédire.
- La variable ***x*** porte le nom de facteur (*feature*). Un facteur qui influence la valeur de ***y***, et on a en général plusieurs facteurs (***x1***, ***x2***,…) regroupés dans une matrice ***X***.

2.1. Présentation des données

La mise en place d'un modèle à réseaux de neurones nécessite la collecte de données couvrant les 12 régions. Indispensables à l'apprentissage et à l'évaluation des performances du modèle, ces données portent sur les dimensions économique, démographique et environnementale et s'étendent sur la période 2012-2020. Le choix de cette période est dicté par la disponibilité des données au niveau régional pour une vingtaine de variables identifiées, dont la plupart des données ne sont accessibles qu'à partir de 2012. Les indicateurs renseignés sont présentés dans le tableau 12, suivant :

Tableau 13 : Indicateurs identifiés pour les douze régions

1. PIB par hab et par région (en Dh courant/hab)	12. Nombre d'entreprises
2. Taux de pauvreté (en %)	13. Accès à la mer
3. Taux de chômage (en %)	14. Débarquement des produits de pêches (en T)
4. FBCF par région (en %)	15. Effectif du Cheptel (total : ovin, caprin, bovin) (nbr de têtes/région)
5. Taux de croissance	16. Population rurale (en milliers)
6. Superficie (en km²)	17. Valeur ajoutée du secteur du BTP (en millions dh)
7. Population totale (en millions d'habitants)	18. Valeur ajoutée des hôtels et restaurants (en millions dh)
8. Population urbaine (en milliers)	19. Volume d'eau superficielle (en m³ par centre/région [Barrage/Oued/Canal])
9. Dépenses d'investissement (en millions de dh)	20. Superficies forestières (en ha)
10.Valeur ajoutée de l'agriculture (en millions dh)	
11. Valeur ajoutée de l'industrie globale (extracti on+industrie+raffinage) (en millions dh)	

Source : élaboration par l'auteur.

Les indicateurs présentés dans ce tableau s'appuient sur des références scientifiques reconnues pour leur rigueur et leur pertinence. Ils résultent de :

- L'étude de benchmark menée sur les quatre pays choisis ainsi que le Maroc (chapitre 2) ;

- Une analyse détaillée des dimensions démographique, environnementale et économique (chapitres 3, 4 et 5) ;
- Une analyse approfondie de la littérature, notamment des recherches et études empiriques consacrées à la taille optimale d'un pays ou d'une nation (chapitre 6).

Cette approche méthodologique constitue une base solide pour le choix des variables pertinentes et l'interprétation des résultats.

Choix des variables pertinentes

La performance du modèle exige la sélection des variables pertinentes, qui exercent une influence significative sur le phénomène que l'on cherche à modéliser. Pour ce faire, il est intéressant de retenir, dans un premier temps, 20 variables réparties selon les trois dimensions étudiées dans les chapitres précédents.

En effet, le recours à la matrice de corrélation deux à deux des données a permis de retenir les variables pertinentes qui présentent une corrélation significative (dépassant 0,5 et inférieur à -0,5) avec la variable d'entrée PIB. La formule pour calculer le coefficient de corrélation de Pearson(r) est :

$$r = \frac{\sum_{i=1}^{n} (X_i - \bar{X})(Y_i - \bar{Y})}{\sqrt{\sum_{i=1}^{n} \left(X_i - \bar{Y}\right)^2} \sqrt{\sum_{i=1}^{n} (Y_i - \bar{Y})^2}} \qquad (6.1)$$

X_i : Valeurs de la variable de l'échantillon

$\bar{X}$: Moyenne des valeurs de la variable

y_i : Valeurs de la variable de l'échantillon

$\bar{Y}$: Moyenne des valeurs de la variable

La formule de Coefficient de corrélation de Spearman (r_s) est :

$$r_s = 1 - \frac{6 \cdot \sum d_i^2}{n \cdot (n^2 - 1)} \quad (6.2)$$

Où :

- d_i est la différence entre les rangs de X et Y pour chaque observation,
- n est le nombre total d'observations.

Les variables déterminantes retenues sont les variables cibles (Target) qu'on cherche à prédire par le modèle adopté. La sélection des variables d'un modèle est très importante pour assurer sa performance.

Pour choisir les variables déterminantes présentant une corrélation significative avec le PIB, deux analyses ont été effectuées. La première en utilisant le coefficient de Pearson et la deuxième avec le coefficient de Spearman. Ces deux tests ont été choisis afin d'augmenter les chances d'identifier un plus grand nombre de variables significativement corrélées au PIB. Ainsi, les deux tests statistiques ont révélé des corrélations très similaires entre les variables et le PIB. Tandis que les variables relevant de la dimension environnementale ont manifesté une corrélation non significative avec le PIB. A cet égard, et afin d'essayer d'intégrer ces variables dans le modèle, un indice composite de l'environnement a été déterminé.

Le calcul de cet indice composite repose sur une série d'étapes essentielles visant à regrouper différentes variables en un indicateur synthétique cohérent. Ces étapes comprennent :

- Identification des variables pertinentes : sélection des indicateurs liés à la dimension environnementale et au PIB.

- Collecte et présentation des données : recensement des informations disponibles pour chaque variable par région.
- Normalisation des indicateurs : étant donné que les trois indicateurs : Superficies forestières (essences forestières, résineuses, feuillues [en ha]), Débarquements des produits de pêches par région (en t) et le Volume d'eau superficielle (en m^3) par centre/région (Barrage/Oued/Canal), utilisent des unités de mesure différentes, une normalisation est nécessaire pour assurer leur comparabilité. La méthode couramment employée, Min-Max, a été appliquée.

$$X' = \frac{X - X_{min}}{X_{max} - X_{min}} \quad (6.3)$$

X' :Normalisé

Cette méthode ajuste toutes les valeurs afin de les situer dans une plage normalisée de 0 à 1.

- Attribution des Pondérations : Les pondérations jouent un rôle clé en reflétant l'importance relative de chaque indicateur dans l'indice composite. Pour une pondération égale, chaque indicateur est considéré avec le même poids.
- Calcul de l'Indice composite : Une fois les indicateurs normalisés et pondérés, ils sont agrégés pour obtenir l'indice composite (I_c), selon la formule suivante :

$$I_c = W_1X'_1 + W_2X'_2 + W_3X'_3 \quad (6.4)$$

W_1, W_2, W_3, sont les pondérations attribuées aux indicateurs normalisés X'_1, X'_2, X'_3

Le test de cet indice composite avec le PIB pour les deux coefficients Spearman et Pearson a présenté une corrélation non significative de -0.135. Cette situation corrobore les conclusions présentées dans le chapitre 4 sur la dimension environnementale. En l'absence de données régionales spécifiques aux différentes variables du capital naturel prises en compte dans l'analyse, il a été difficile de déterminer et d'évaluer la valeur de chaque ressource naturelle par région. Il est donc essentiel de mettre en place un système d'information performant, capable de produire des indicateurs pertinents sur le capital naturel régional, basés sur des données actualisées et fiables.

Ainsi, et sur la base de ces analyses statistiques, les variables qui ont manifesté une corrélation significative sont en nombre de huit. La variable d'entrée (input) est le PIB (X) et les variables à prédire (les outputs) sont en nombre de huit ($Y_1, \ldots, Y_8$). Elles se présentent comme suit :

1. Population rurale (en milliers)
2. Population urbaine (en milliers)
3. Dépenses d'investissement (en millions de dh)
4. Valeur ajoutée de l'agriculture (en millions de dh)
5. Valeur ajoutée de l'industrie globale (extraction+industrie+raffinage) (en millions de dh)
6. Nombre d'entreprises
7. Valeur ajoutée du secteur du BTP (en millions de dh)
8. Valeur ajoutée des hôtels et restaurants (en millions de dh)

Source : élaboration par l'auteur.

Les données des variables 4, 5, 7 et 8 sont exprimées aux prix courants.

Il convient de rappeler que les données région par région ont été regroupées, mais, puisqu'il ne s'agit pas d'un problème de classification, le champ « Nom de région » a été abandonné dans le Dataset d'entraînements pour permettre au modèle de mieux généraliser et de prédire les valeurs des indicateurs de sorties (8 variables) à partir d'un seul indicateur d'entrée (le PIB).

Normalisation des données

Avant d'entamer l'apprentissage automatique, il est indispensable de normaliser et de centrer toutes les variables, ainsi que la grandeur à modéliser. À cet égard, toutes les variables utilisées sont normalisées linéairement entre 0 et 1, par rapport à leur valeur minimale ou maximale, en appliquant la formule suivante :

$$X_{normalisé} = \frac{(X - X_{min})}{(X_{max} - X_{min})} \qquad (6.5)$$

La normalisation permet de garantir qu'une entrée de grande valeur ne devienne pas prépondérante au détriment des autres. Cette normalisation a pour but d'unifier les variables dont les unités sont différentes [millions de dh, km^2, millions d'habitants…].

Les données ont été également dénormalisées en utilisant la fonction de dénormalisation afin de permettre d'interpréter les résultats obtenus du modèle en se référant aux unités des variables introduites. Le code du modèle décrivant les deux fonctions est présenté ci-dessous :

Normalization and denormalization functions

```
# Data Normalization Function
def normalize_data(original_data, mins, maxs):
    original_data = tf.convert_to_tensor(original_data, dtype=tf.float32)
    mins = tf.convert_to_tensor(mins, dtype=tf.float32)
    maxs = tf.convert_to_tensor(maxs, dtype=tf.float32)
    normalized_data = (original_data - mins) / (maxs - mins)
    return normalized_data

# Data Denormalization Function
def denormalize_data(normalized_predictions, mins, maxs):
    normalized_predictions = tf.convert_to_tensor(normalized_predictions,␣
↪dtype=tf.float32)
    mins = tf.convert_to_tensor(mins, dtype=tf.float32)
    maxs = tf.convert_to_tensor(maxs, dtype=tf.float32)
    denormalized_data = normalized_predictions * (maxs - mins) + mins
    return denormalized_data
```

2.2. L'apprentissage automatique et les modèles de Deep Learning

L'apprentissage profond est une sous-discipline de l'apprentissage automatique qui se focalise sur l'utilisation de réseaux de neurones artificiels profonds. La finalité ultime est de résoudre des problèmes complexes. L'apprentissage en profondeur attire beaucoup l'attention ces derniers temps en raison de son succès dans différents domaines et des résultats enregistrés, qui n'étaient pas possibles d'atteindre auparavant à travers des modèles classiques.

Le réseau de neurones le plus simple qui existe porte le nom de perceptron. Les entrées du neurone sont les facteurs $\boldsymbol{x}$ multipliées par des paramètres $\boldsymbol{\theta}$ à apprendre. Ainsi, on peut avoir deux étapes :

- Le neurone calcule la ***somme*** z de toutes les entrées $z = \sum \boldsymbol{x\theta}$. C'est un calcul linéaire.
- Le neurone passe z dans sa fonction d'activation. Il s'agit de la fonction sigmoïde [fonction logistique]. Dénommé ainsi un calcul non linéaire.

Selon Saint-Cirgue [2019], on a :

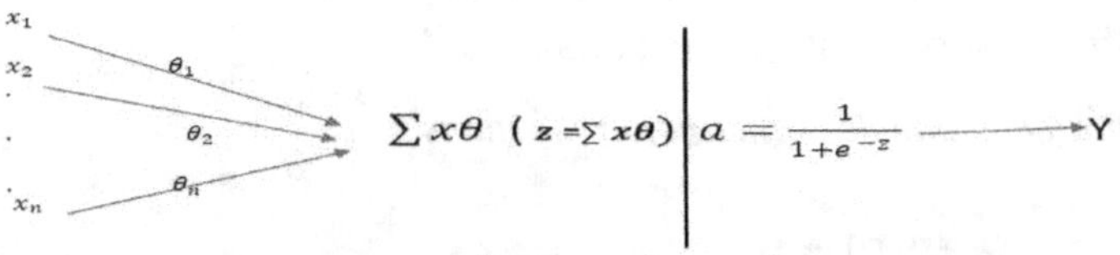

(6.6)

$$z(X\theta) = x_1\theta_1 + x_2\theta_2 + \dots\dots\dots + x_n\theta_n$$

$$y = a(z) = \frac{1}{1+e^{-z}}$$

Pour créer des réseaux à plusieurs neurones [*Deep Learning*], il suffit de développer plusieurs perceptrons et de les connecter les uns aux autres.

Le Deep Learning signifie ainsi l'établissement d'un réseau avec autant de couches et de neurones que l'on veut. Les recherches empiriques menées dans cette discipline indiquent que l'augmentation du nombre de couches rend le réseau plus profond [*deep*], ce qui enrichit le modèle, mais le rend également plus difficile à entraîner. Ce qui permet au modèle de capturer des relations de plus en plus complexes entre les facteurs et les cibles.

Étant donné une base d'apprentissage (X_i, Y_i) $1 \leq i \leq n$ ou $X_i \in R^d$, $Y_i \in$ R [Bigot, 2019]

L'objectif consiste à déterminer un modèle qui permet de lier l'entrée X_i à la sortie Y_i pour tout $1 \leq i \leq n$

Pour $i_0\{1,..., n\}$ on veut déterminer Yi0 prédiction de Y_i [non observé] au vu de l'observation de X_i.

Le couple (X_{i0}, Y_{i0}) est un élément de l'ensemble test.

Dans le cas de la régression, une classe de modèles est un ensemble de fonctions tel que :

$f_\theta = \mathrm{R}^d \rightarrow \mathrm{R}$: (R ensemble des nombres réels, d : est un entier naturel supérieur ou égal à 1)

Ces fonctions établiront des liens entre les variables d'entrée et les variables de sortie. Dans cet ouvrage, elles relient le PIB à huit variables déterminantes identifiées.

Fonction d'activation [Relu : Rectified Linear Unit])

Il s'agit d'une fonction mathématique appliquée à un signal en sortie d'un neurone artificiel (Tavenard, 2023). La fonction utilisée est la suivante :

ReLU(x) = { x si x>O } (6.7)

0 si non

En pratique, la fonction ReLU (et certaines de ses variantes) est la plus utilisée aujourd'hui dans le cas de MLP.

2.3. Fonction de perte (Loss function) et erreur quadratique moyenne (mean squared error)

Dans le cadre de l'apprentissage automatique, lorsqu'on teste le modèle sur la base de données, celui-ci donne des erreurs. L'ensemble de ces erreurs est appelé la Fonction Coût.

Saint-Cirgue (2019), précise que chaque prédiction s'accompagne d'une erreur (i), on a donc ***m*** erreurs. On définit la Fonction Coût ***J(a, b)*** comme étant la moyenne de toutes les erreurs :

$$J\,(a, b) = \frac{1}{2m} \sum_{i=1}^{m} erreur^{i} \qquad (6.8)$$

Donc $$J\,(a\,, b) = \frac{1}{2m} \sum_{i=1}^{m} \left(f(x)^{(i)} - f(y)^{(i)}\right)^2 \qquad (6.9)$$

On rajoute un 2 ; c'est juste une astuce mathématique pour rendre le calcul plus simple avec la dérivée.

Cette fonction est appelée l'erreur quadratique moyenne (Mean Squared Error). C'est cette fonction qui a été adoptée dans le modèle utilisé.

a et ***b*** sont les paramètres du modèle, i c'est l'erreur, X et Y sont les variables d'entrée et de sortie (PIB et huit variables[18]).

2.4. Méthode d'optimisation du modèle

Cette méthode permet d'identifier des valeurs appropriées de paramètres pour le modèle en s'appuyant sur les données disponibles. Cette quête de valeurs optimales des paramètres est connue sous le nom d'optimisation. Dans le domaine de

---

18. La population urbaine, la population rurale, les dépenses d'investissement, la valeur ajoutée de l'agriculture, la valeur ajoutée de l'industrie globale (extraction+ industrie+raffinage), le nombre d'entreprises, la valeur ajoutée du secteur du BTP, la valeur ajoutée de restauration et hôtellerie.

l'apprentissage profond, on utilise un algorithme d'optimisation qui s'appelle la descente de gradient stochastique (*Stochastic Gradient Descent* : SGD). Il s'agit de trouver les paramètres qui minimisent la Fonction Coût, c'est-à-dire les paramètres qui donnent le meilleur modèle.

Pour ce faire, il faut trouver les paramètres ***a*** et ***b*** qui minimisent la fonction coût ***J***(***a***, ***b***). À cet égard, les paramètres ***a*** et ***b*** ont été choisis au hasard tout en utilisant en boucle la descente de gradient pour mettre à jour ces paramètres dans la direction de la Fonction Coût le plus faible.

Ainsi, il faut répéter en boucle :

$$a = a - \alpha \frac{\partial J\,(a,b)}{\partial a} \qquad (6.10)$$

$$b = b - \alpha \frac{\partial J\,(a,b)}{\partial b} \qquad (6,11)$$

En fait, il faut préciser qu'à chaque itération de la boucle, les paramètres ***a*** et ***b*** sont mis à jour en déduisant leur propre valeur à la valeur de la pente $\partial J(a,b)/\partial$... multipliée par la distance à parcourir α. α est appelé la vitesse d'apprentissage (*Learning rate*).

Le Learning rate prend le nom d'hyperparamètre du fait de son influence sur la performance finale du modèle (s'il est trop grand où trop petit, la fonction de Gradient Descent ne converge pas).

Le schéma illustrant l'utilisation de la descente de gradient stochastique, qui sert à compiler le modèle en définissant la fonction de perte à utiliser ainsi que l'Optimizer (SGD), se présente comme suit :

```
# Compile the model
model.compile(loss='mean_squared_error', optimizer='SGD')
```

La notion de la taille économique optimale repose, selon la littérature, sur plusieurs variables, principalement le PIB[19]. Son caractère « optimal » s'explique par l'intégration, dans le modèle MLP, d'un algorithme d'optimisation appelé *Stochastic Gradient Descent* (SGD). Par ailleurs, la prédiction des valeurs minimales des variables retenues repose sur une modélisation prédictive. En effet, la littérature souligne que l'apprentissage profond (*Deep Learning*) est avant tout une question d'optimisation, généralement formulée comme un problème de minimisation.

2.5. Architecture du modèle MLP (Perceptrons multicouches : Multi-layer Perceptrons)

La nature du problème abordé a motivé le choix du MLP, parmi d'autres méthodes, telles que la Random Forest ou les arbres de décision, pour la prédiction des valeurs des variables à partir d'une seule variable d'entrée. Ce modèle MLP est basé sur le Perceptron, inventé par Rosenblatt en 1958 au laboratoire aéronautique de Cornell.

Des études empiriques récentes montrent que le Perceptron Multicouches (*MLP*), basé sur des réseaux de neurones à fort potentiel prédictif, donne de très bonnes performances. Il permet également de modéliser des frontières de décision non linéaires. En outre, la famille des perceptrons est un approximateur universel des fonctions continues. Autrement dit, il s'agit d'un modèle très expressif, à la base de l'apprentissage profond.

---

19. Le Produit Intérieur Brut (PIB) correspond à la taille économique d'un pays ou d'une région, car il mesure la valeur totale des biens et services produits sur un territoire donné pendant une période donnée (généralement une année). L'approche principale pour mesurer le PIB consiste à additionner toutes les valeurs ajoutées (du secteur public et privé), auxquelles s'ajoute la taxe sur la valeur ajoutée (TVA), mais aussi les taxes sur des produits particuliers, comme les produits pétroliers, le tabac et l'alcool, ou encore les produits importés (droit de douane).

Dans la présente étude, l'architecture du modèle retenu se présente comme suit :

Figure 10 : Présentation de l'architecture du modèle MLP

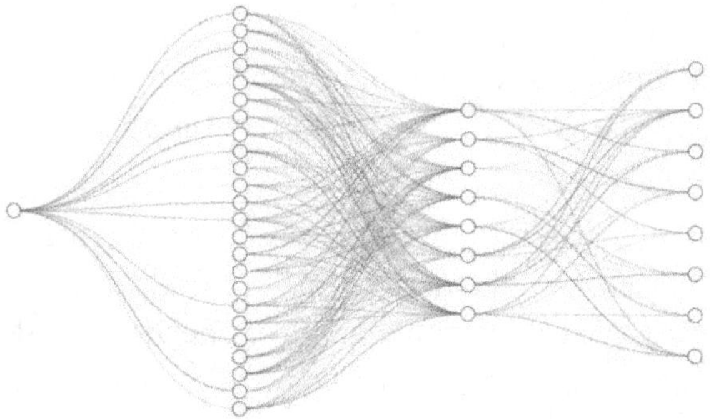

Comme indiqué dans la (figure 10), une nouvelle instance du modèle MLP est créée pour chaque pli. Le modèle adopté comporte :

- Une couche d'entrée avec le même nombre de neurones que les caractéristiques de l'ensemble de données (input_dim=X.shape[1]`). Elle reçoit les caractéristiques brutes des données. La variable d'entrée dans notre cas est la moyenne du PIB national (PIB/12 régions) ;
- Deux couches cachées avec 24 et 8 neurones[20]. Les couches cachées sont conçues pour extraire et transformer les caractéristiques des données avant de produire une sortie utile :

---

20. Le choix de 24 et 8 neurones dans les couches cachées est justifié par :
- Des tests empiriques (par validation croisée afin d'obtenir une estimation plus robuste des performances et d'éviter les biais dans la sélection des hyperparamètres).
- Une recherche d'équilibre entre performance et complexité (éviter sur – et sous-apprentissage).
- L'optimisation des hyperparamètres.

- La première couche cachée de 24 neurones permet de modéliser des motifs très complexes et des interactions non linéaires, en particulier dans l'apprentissage profond (deep learning). Elle agit comme un extracteur de caractéristiques, en identifiant des structures sous-jacentes.
- La deuxième couche cachée de 8 neurones permet de condenser et d'affiner l'information pour préparer la sortie ;

• Une couche de sortie avec 8 neurones pour représenter le nombre des variables de sortie. Elle produit la sortie finale sous forme de valeurs continues, correspondant aux données prédites par le modèle pour les huit variables retenues.

La fonction d'activation utilisée est ReLU ((Rectified Linear Unit), et le modèle est compilé avec la perte d'erreur quadratique moyenne et l'optimiseur SGD (Stochastic Gradient Descent). Le code correspondant à la présentation du modèle est présenté ci-après :

Model Présentation

```
# Define the model
model = keras.Sequential()

# Input layer with 1 neuron
model.add(keras.layers.Dense(units=1, input_dim=1, activation='relu'))

# Output layer with 8 neurons
model.add(keras.layers.Dense(units=8, activation='relu'))

# Adding Hidden Layers
model.add(keras.layers.Dense(units=24, activation='relu'))
model.add(keras.layers.Dense(units=8, activation='relu'))

# Compile the model
model.compile(loss='mean_squared_error', optimizer='SGD')
# Display the model summary
model.summary()
```

L'originalité de ce modèle repose sur le fait qu'il a été entraîné avec un ensemble de données comprenant environ 109 lignes, et qu'il est capable, grâce à l'introduction d'une seule variable d'entrée, de prédire plusieurs valeurs des variables de sortie. En effet, cette originalité ne réside pas dans le nombre de variables de sorties comparativement aux variables d'entrée, mais dans l'exploitation de cette architecture pour faire des simulations prédictives basées sur l'ensemble des données collectées et fournies au modèle pour lui permettre de généraliser les relations entre les indicateurs (Features and Targets) adoptés. Basé sur une grande flexibilité dans la conception de l'architecture du réseau, notamment le nombre de couches cachées, le nombre de neurones dans chaque couche, les fonctions d'activation, etc., le MLP permet d'adapter le réseau à des problèmes spécifiques et d'expérimenter différentes configurations pour obtenir de meilleures performances.

3. Application du modèle MLP pour déterminer la taille économique minimale optimale régionale

3.1. Évaluation de la performance prédictive

Le modèle MLP est très largement utilisé par le monde industriel et l'un des outils favoris de la communauté des chercheurs. La librairie (*keras.Sequential*) permet de créer des modèles séquentiels qui s'intègrent avec les outils de Deep Learning (en particulier *Tensorflow*) à bas niveau.

Par ailleurs, et comme il a été indiqué dans la partie relative à l'optimisation, il est intéressant de minimiser la Fonction de perte (*Loss function*) afin d'améliorer la performance du modèle.

Afin de minimiser les risques de surapprentissage (Overfitting), plusieurs techniques de régularisation peuvent être intégrées dans un modèle d'apprentissage automatique. Les méthodes les plus courantes sont la Régularisation L1 et

L2[21], le Dropout[22] (en réseaux neuronaux), l'Early Stopping (Arrêt précoce)[23], la validation croisée (*Cross-Validation*)[24], etc. Selon les caractéristiques du modèle et la nature des données, l'une de ces méthodes peut être choisie afin de réduire le surapprentissage et améliorer la capacité de généralisation.

Compte tenu de la nature du problème traité, le choix a été porté sur la validation croisée. Cette méthode permet d'obtenir une estimation plus robuste des performances et d'éviter les biais dans la sélection des hyperparamètres. À cet égard, il a été décidé d'entraîner 7 modèles MLP sur les 7 plis de l'ensemble de données, en utilisant la méthode de validation croisée. En effet, l'extrait de code fourni dans le cadre de ce modèle démontre l'utilisation de la validation croisée K-Fold pour former plusieurs modèles MLP (Multi-Layer Perceptron) sur différents plis de l'ensemble de données utilisées.

La Validation croisée fait référence à la séquence d'opérations répétées nécessaire pour entraîner un modèle d'apprentissage automatique. Cette boucle comprend généralement des étapes telles que la présentation des données d'entraînement au modèle, le calcul des prédictions, l'évaluation de l'écart entre les prédictions

---

21. L1 (Lasso) : Encourage la parcimonie en forçant certains poids à devenir exactement zéro, ce qui permet une sélection automatique de caractéristiques. L'objectif est de minimiser la somme des valeurs absolues des coefficients pondérés. L2 (Ridge) : Pénalise les grands poids en minimisant la somme des carrés des coefficients, empêchant ainsi les valeurs extrêmes dans les paramètres du modèle.

22. Consiste à « éteindre » aléatoirement certains neurones pendant l'entraînement. Cela empêche le réseau de devenir trop dépendant de certains neurones et favorise une meilleure généralisation en distribuant les pondérations de manière plus uniforme.

23. Cette technique consiste à surveiller les performances du modèle sur un ensemble de validation pendant l'entraînement.

24. Elle permet d'évaluer les performances du modèle sur plusieurs sous-ensembles des données pour détecter les variations.

et les résultats attendus, et l'ajustement des paramètres du modèle pour minimiser cet écart. Cette itération se poursuit jusqu'à ce que le modèle atteigne une performance souhaitée. La boucle d'entraînement est fondamentale dans le processus d'optimisation des modèles d'apprentissage automatique.

La validation croisée K-Fold est une technique précieuse pour évaluer et améliorer les performances des modèles d'apprentissage automatique, en fournissant des informations plus fiables sur les performances probables d'un modèle sur des données inédites. En effet, la Cross-Validation permet d'évaluer et comparer la performance du modèle sur différents plis aléatoires de l'ensemble de données. Le but ultime est de déterminer l'ensemble d'entraînement qui permet au modèle de généraliser au mieux.

Ainsi et afin de détecter qu'un modèle est surajusté moyennant l'utilisation des courbes d'apprentissage, il est nécessaire d'examiner les courbes de perte de validation et d'entraînement. Ces courbes permettent également de trouver le bon compromis biais/variance.

Figure 11 : Performance du modèle

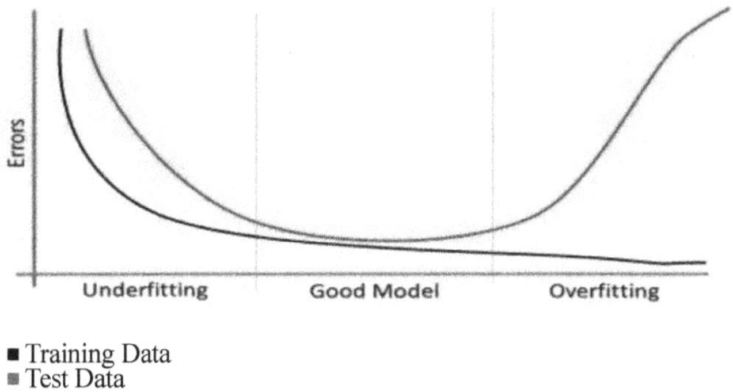

Source : https://www.baeldung.com/cs/learning-curve-ml#:~:text=One%20of%20the%20most%20widely,the%20model%20fits%20new%20data https://www.baeldung.com/cs/learning-curve-ml#:~:text=One%20of%20the%20most%20widely,the%20model%20fits%20new%20data

Selon la figure 11, le processus d'entraînement (*training*) doit être interrompu lorsque la tendance de l'erreur de validation passe d'une tendance descendante à une tendance ascendante. La perte d'entraînement diminue au fil du temps, atteignant de faibles valeurs d'erreur. Si le processus est arrêté avant ce point, le modèle sera sous-apprentissage ou sous-ajustement ((Underfitting). Si le processus est arrêté après ce point, le modèle sera surapprentissage ou surajustement (Overfitting).

Le processus d'entraînement et de validation pour optimiser la fonction coût (Loss[25] des 7 modèles) est illustré clairement par la figure 12 :

Figure 12 : Entraînement et validation de la fonction de perte (loss)

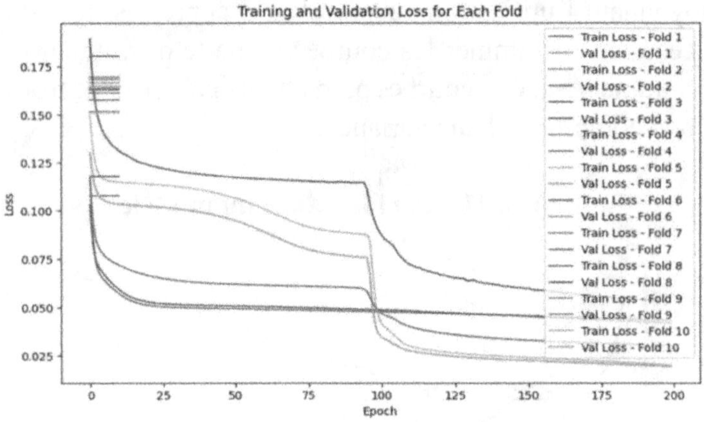

Source : sortie du modèle.

25. La «Loss» (perte d'entraînement) est une mesure de l'erreur du modèle sur l'ensemble de données d'entraînement. C'est la valeur de la fonction de perte calculée à partir des prédictions du modèle par rapport aux véritables étiquettes de l'ensemble d'entraînement. Elle sert à évaluer et à optimiser le modèle pendant le processus d'entraînement. L'objectif consiste à minimiser la valeur de la fonction de perte pour améliorer la performance du modèle sur les données d'entraînement.

Ainsi, le meilleur modèle a révélé une perte d'entraînement (loss) très faible. La valeur obtenue est de l'ordre de **0,0303** (tableau 14) et une perte de validation (Val_loss[26]) dont la valeur est **0,0527**.

Tableau 14 : Valeur de la perte d'entraînement (loss) et de la perte de validation (val_loss)

Epoch	Loss	Val_Loss	Time per Epoch	Time per Step
198	0.0303	0.0528	250 ms	3 ms
199	0,0303	0,0531	241 ms	2 ms
200	**0,0303**	**0,0527**	252 m	3 ms
Test Loss	**0.05265**			

Source : Sortie du modèle.

Le résultat enregistré par la fonction de perte (loss & val_loss) confirme la bonne performance du modèle adopté.

3.2. Prédiction de la taille économique optimale minimale à partir du modèle MLP

Pour prédire les données des variables pertinentes retenues, la méthodologie suivante a été adoptée :

26. La « val_loss » (Perte de validation) est une mesure de l'erreur du modèle sur l'ensemble de données de validation. C'est la valeur de la fonction de perte calculée à partir des prédictions du modèle par rapport aux véritables étiquettes de l'ensemble de validation. Elle sert à évaluer la performance généralisée du modèle sur des données non vues pendant l'entraînement. Une faible « val_loss » indique que le modèle généralise bien sur des données nouvelles et non vues.

Une optimisation sans contraintes

Il a été envisagé que toutes les régions convergent vers la moyenne du PIB national (PIB/12 régions). Cela se justifie par l'architecture du modèle (1 entrée ~ plusieurs sorties) qui a été choisie principalement pour obtenir une combinaison d'indicateurs économiques et démographiques correspondant à la valeur de PIB fournie comme variable d'entrée. Le modèle est entraîné pour prédire la composition des indicateurs de sortie à partir de n'importe quelle valeur de PIB choisie. Il s'agit d'une première étape visant à déterminer la configuration optimale des indicateurs mentionnés précédemment, en lien avec une valeur optimale du PIB. La seconde étape consiste à déterminer la valeur optimale du PIB régional afin d'éliminer les disparités entre les régions. Ainsi, l'idée d'unifier le PIB des douze régions a été adoptée pour illustrer un scénario hypothétique où toutes les régions génèrent le même PIB. À cette fin, la moyenne nationale du PIB a été utilisée comme valeur d'entrée, donnant lieu à une simulation qualifiée d'optimisation sans contraintes.

Ainsi, le modèle adopté (MLP) a permis de déterminer les valeurs des variables pouvant constituer la taille économique optimale d'une région moyennant une optimisation sans contraintes. Étant donné que le modèle a été entraîné pour prédire la composition des indicateurs de sortie à partir de n'importe quelle valeur de PIB choisie, il a également été envisagé de l'utiliser pour déterminer la taille optimale minimale des variables prédites moyennant des simulations en fonction du nombre de régions. L'idée repose sur une réduction progressive du nombre de régions, passant de 12 à 8, et sur l'utilisation d'une valeur moyenne du PIB national, obtenue en le divisant par le nombre de régions considérées (PIB/12, PIB/11, PIB/10, PIB/9, PIB/8).

Une simulation en se basant sur les orientations du NMD en tant que document de référence

En se référant au Nouveau Modèle de Développement (NMD), qui prévoit une croissance moyenne du PIB de 6 % à l'horizon 2035, il devient nécessaire de recalculer la contribution des régions au PIB national, en s'appuyant sur deux scénarios.

Scénario 1 :

Dans ce Scénario, il a été envisagé que toutes les régions connaitront une croissance égale équitable et enregistrent ainsi la même croissance moyenne annuelle de 6 % à l'horizon 2035. C'est ainsi que le calcul du PIB a été refait pour chaque région à l'horizon de 2035. Il s'agit de déterminer d'abord les Coefficients multiplicateurs (= taux de croissance/100+1) puis le taux de croissance global et à partir du PIB par région de 2021, le calcul du PIB de 2035 par région a été déterminé.

Scénario 2 :

Il a été considéré que les régions contribueront d'une manière disproportionnée pour atteindre la croissance annuelle nationale moyenne de 6 % d'ici 2035. Sur le plan méthodologique, il a été d'abord question de calculer la moyenne de contribution de chaque région dans le PIB national durant la période 2010-2019. Le choix de cette période se justifie par la volonté d'éviter l'année 2020 très particulière sur le plan économique (effets de la pandémie du covid 19). Ensuite, la contribution en pourcentage de chaque région au taux de croissance du PIB national pour la période considérée a été calculée. Ces contributions régionales ont été appliquées au taux de 6 % du PIB national défini par le NMD. Il a été supposé dans ce scénario que les 12 régions maintiendront leur profil économique actuel et continueront à contribuer de manière disproportionnée au PIB national d'ici 2035.

Pour les deux scénarios, les données de séries temporelles ont été utilisées pour entraîner le modèle, puis prédire les valeurs des huit variables retenues.

4. Analyse des sorties du modèle MLP

4.1. Optimisation sans contraintes

Il est important de rappeler que, selon la littérature, tout modèle d'apprentissage profond (Deep Learning) est avant tout un problème d'optimisation, généralement formalisé comme un problème de minimisation (Bourgeais, 2022). Le modèle adopté a permis de déterminer les variables pouvant constituer la taille économique optimale minimale d'une région. Or, comme il a été mentionné dans la méthode d'optimisation, l'idée derrière l'algorithme de descente de gradient stochastique est d'obtenir des valeurs optimales minimales des variables à prédire. Il a été procédé ainsi à la combinaison de la méthode du gradient stochastique avec moment (Stochastic Gradient Descent (SGD) et l'erreur quadratique moyenne (EGM), pour minimiser l'erreur.

L'algorithme converge après 7 itérations, retournant ainsi une configuration ayant permis d'atteindre une fonction de coût satisfaisante (loss 0,0303 et val_loss 0,0527).

La force principale des Perceptrons multicouches (MLP) réside dans leur capacité à modéliser des relations complexes et non linéaires entre les données d'entrée et de sortie. Contrairement aux perceptrons simples qui ne peuvent représenter que des fonctions linéaires, les MLP peuvent apprendre à reconnaître des motifs et des structures plus complexes dans les données.

Avec un ensemble de données d'environ 109 lignes, le modèle a été entraîné et a pu, moyennant l'introduction d'une seule variable (input) prédire des valeurs de plusieurs variables (outputs). Cela confirme la force du modèle MLP adopté (une seule variable d'entrée, pour prédire des valeurs de plusieurs variables de sortie).

Ainsi, la valeur introduite de l'input (PIB = 103 319,667 en MDH en 2019) permet de prévoir de nouvelles données optimales minimales pour chaque variable de sortie (tableau n° 15).

Tableau 15 : Présentation des données des variables de sortie du modèle concernant les tailles économiques optimales minimales

Variables retenues	**Tailles économiques optimales minimales d'une région prédites par le modèle**
Population rurale (en milliers)	204 886
Population urbaine (en milliers)	635 520
Dépenses d'investissement (en millions de dh)	488
Valeur ajoutée de l'agriculture (en millions de dh)	3903
Valeur ajoutée de l'industrie globale (extraction-industrie-raffinage) (en millions de dh)	4868
Nombre d'entreprises	2749
Valeur ajoutée du secteur du BTP (en millions de dh)	1866
Valeur ajoutée des hôtels et restaurants (en millions de dh)	765

Source : Sortie du modèle et élaboration par l'auteur.

Eu égard à la pertinence de ces résultats, il a été jugé important de les appliquer au découpage régional de 12, selon la taille optimale minimale des huit variables déterminées. Le but ultime consiste à savoir comment les régions se positionnent-elles par rapport à cette taille économique optimale minimale ?

Population urbaine

La taille optimale minimale calculée par le modèle retenu est de 635 520 habitants (soit 0,64 %). L'application de cette taille optimale au dernier découpage (données de 2019), a fait ressortir que la majorité des régions ont une population urbaine qui dépasse largement la taille optimale. Huit régions ont une population urbaine qui dépasse la taille optimale minimale estimée par le modèle. En revanche, la population urbaine des régions du sud du Royaume et celle de Draa-Tafilalt sont inférieures à la valeur de la taille optimale. En effet, ces régions sont sous-peuplées et la taille urbaine optimale minimale est ainsi faible.

Figure 13 : Population urbaine par région (2019) en comparaison avec la taille optimale minimale (en milliers d'habitants)

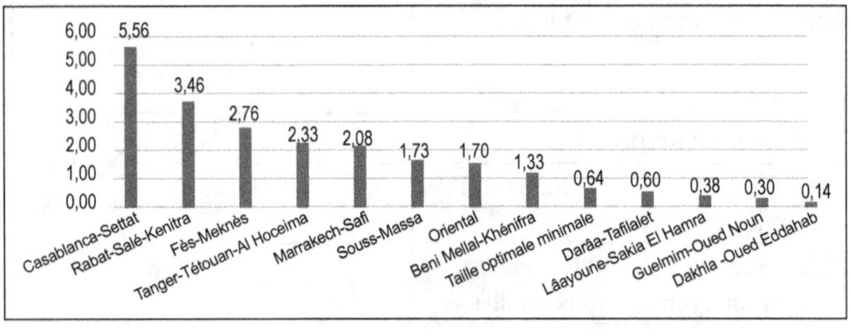

Source : Sortie du modèle en se basant sur les données du HCP.

Cette faiblesse de la population urbaine s'explique d'abord par le faible peuplement des quatre régions et par la faiblesse du nombre des citadins. Ce résultat a été démontré par les analyses de la dimension démographique. Ces analyses, basées sur l'application de la méthode adoptée par l'OCDE, ont démontré l'importance du facteur relatif à la taille des pôles urbains. En effet, une taille optimale selon ce facteur doit avoir un pôle démographique urbain supérieur à 300 000 citadins. Or, ce n'est pas le cas pour la région de Draa Tafilalet, peuplé de ruraux (plus de 60 %) et pour les régions du Sud du pays, qui, bien qu'elles soient à majorité urbaine, n'abritent pas d'importants pôles urbains.

Toutes les autres régions (8 régions) sont marquées par une taille régionale optimale, puisqu'elles abritent une taille démographique citadine consistante et hébergent d'importants centres urbains.

Population rurale

La taille optimale minimale estimée par le modèle est de 204 886 habitants. Cette taille peut être estimée selon le nombre de régions, quel que soit le découpage régional.

En appliquant cette taille optimale au dernier découpage, notamment les données de 2019, il s'avère qu'à l'exception des régions du Sud, toutes les autres régions présentent une taille nettement supérieure à celle estimée par le modèle.

Figure 14 : Population rurale par région en comparaison avec la taille optimale (en milliers d'habitants)

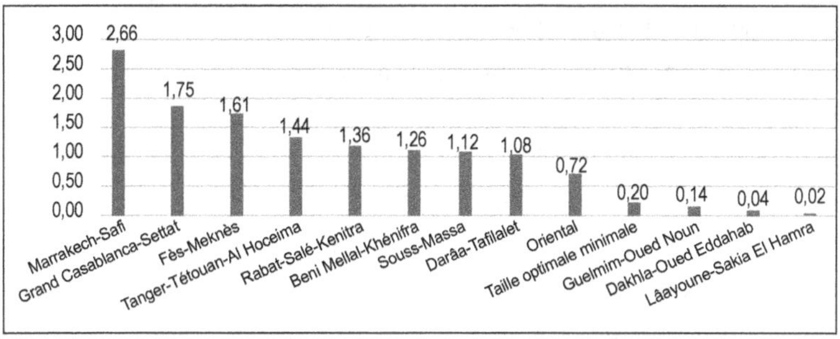

Source : Sortie du modèle en se basant sur les données du HCP.

Les résultats de ce modèle se croisent avec les résultats des analyses démographiques (chapitre 3). Ces analyses ont démontré, selon ce facteur, que les trois régions du Sud sont urbaines ayant moins de 15 % de la population rurale et enregistrent de très faibles densités. C'est ainsi que, selon la méthode de l'OCDE, les trois régions sont classées dans le niveau TL2, ce qui ne reflète pas une taille optimale selon le facteur ruralité. En plus, l'équilibre urbain rural dans ces trois régions laisse croire que les provinces du Sud ne reflètent pas une forte dimension au sens démographique ; ce qui a été confirmé par les résultats du modèle qui les a classés en dessous de la taille optimale minimale selon les données de la population rurale par région de 2019.

Nombre d'entreprises

La taille optimale minimale relative au nombre d'entreprises est de 2749 entreprises. En appliquant ce résultat aux données de 2019, il s'avère que deux régions regroupent plus de 43 % des entreprises (Casablanca-Settat et Tanger-Tétouan-El Hoceima). Cela confirme la forte implantation des entreprises dans ces régions. Cependant, d'autres régions sont en dessous de cette taille optimale, notamment les régions de Draa-Tafilalt, la région Guelmim-Oued-Noun et celle de Dakhla-Oued Ed-Dahab. Les autres régions dont le nombre d'entreprises est proche de la taille optimale minimale au niveau de ce critère sont la région de Laâyoune-Sakia El Hamra et de Béni Mellal-Khénifra. Les régions de l'Oriental, de Rabat-Salé-Kénitra, Fès-Meknès, de Souss-Massa et de Marrakech-Safi ont une taille deux fois supérieure à celle estimée comme optimale par le modèle. Ces résultats montrent le déséquilibre entre les régions en termes de création d'entreprises et, par conséquent, la faible attractivité économique de ces régions.

Figure 15 : Nombre d'entreprises par région en comparaison avec la taille optimale (estimée par le modèle)

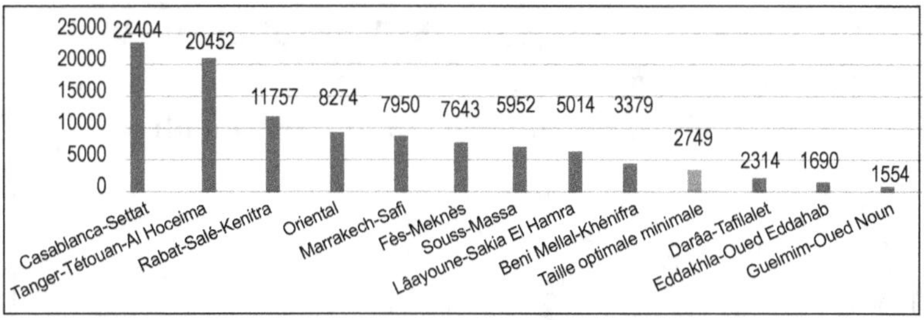

Source : Sortie du modèle en se basant sur les données du HCP.

Les résultats du modèle s'alignent avec ceux de l'analyse économique (chapitre 5). Ce dernier a démontré que la sigma-convergence et la bêta-convergence économique inconditionnelle ne permettent pas de prouver l'existence d'une convergence, mais plutôt une divergence entre les régions. Cela démontre une forte concentration des entreprises dans deux régions Tanger-Tétouan-Al-Hoceima et la région Casablanca-Settat. Tandis que les trois régions, dont la taille est inférieure à l'optimale minimale estimée par le modèle, se caractérisent par une très faible présence des entreprises. Ce facteur est fortement corrélé à la taille démographique et à la population urbaine. Draa-Tafilalet est une région rurale alors que les deux autres régions reflètent un marché (taille démographique) très limité.

Valeur ajoutée de l'agriculture

En ce qui concerne la valeur ajoutée de l'agriculture (en millions de dh), la taille optimale minimale obtenue selon le modèle appliqué est de 3903 millions de dh. Si on compare ce résultat à la valeur ajoutée de l'agriculture pour 2019, on constate que la majorité des régions ont une part de l'agriculture qui dépasse largement la valeur optimale. La valeur ajoutée de la région de Fès-Meknès à elle seule enregistre six fois la valeur optimale.

Figure 16 : Valeur ajoutée de l'agriculture de 2019 par région comparée à la taille optimale minimale estimée par le modèle (en millions de dh)

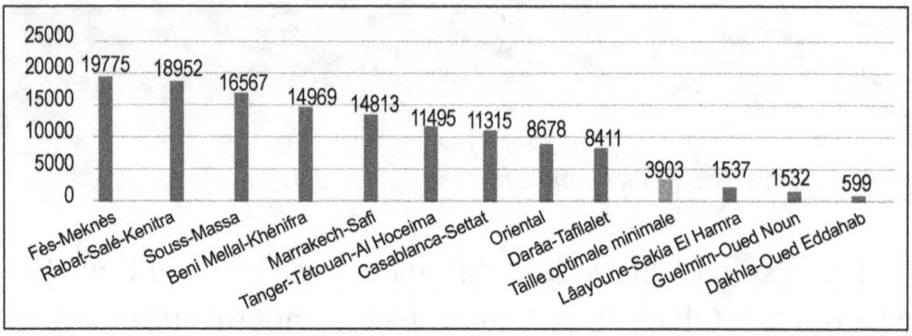

Source : Sortie du modèle en se basant sur les données du HCP.

Les régions dont la valeur ajoutée de l'agriculture est inférieure à l'optimale sont la région de Guelmim-Oued Noun, de Laâyoune-Sakia El Hamra et de Dakhla-Oued Ed-Dahab. Il s'agit de régions sahariennes où l'agriculture est très limitée et l'économie est orientée vers les activités de pêche ou de l'élevage extensif camelin. Ainsi, cette région est fortement dépendante des marchés alimentaires des régions du Nord (notamment Souss-Massa).

Valeur ajoutée de l'industrie globale (extraction+industrie+raffinage)

La valeur ajoutée de l'industrie globale a été retenue comme variable pertinente à estimer par le modèle MLP. La taille optimale minimale calculée par ce modèle est de 4868 millions de dh, soit 2,46 % de la valeur ajoutée de l'industrie par région pour l'année 2019. Il est à noter que la taille optimale peut être recalculée selon le nombre de régions, quel que soit le découpage régional. La région de Casablanca-Settat concentre la moitié de la valeur ajoutée de l'industrie globale avec une valeur dépassant de loin la taille optimale estimée par le modèle (environ vingt fois la valeur optimale prédite), suivi de la région de Tanger-Tétouan-Al Hoceima et celle de Rabat-Salé-Kénitra. Les régions d'Eddakhla-Oued Eddahab, de Draa-Tafilalet, de Guelmim-Oued-Noun et celle de l'Oriental enregistrent des valeurs ajoutées industrielles inférieures de la taille optimale minimale prédite par le modèle.

Figure 17 : Valeur ajoutée de l'industrie par région comparée à la taille optimale minimale estimée par le modèle (en millions de dh)

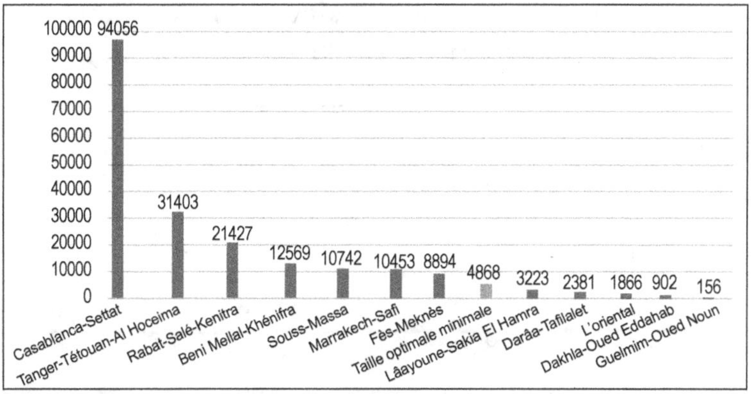

Source : Sortie du modèle en se basant sur les données du HCP.

Le reste des régions affiche des valeurs qui représentent deux à trois fois la taille optimale. La forte concentration des unités industrielles dans la région Casablanca-Settat et à moindre mesure dans celles de Tanger-Tétouan-Al-Hoceima et de Rabat-Salé-Kenitra rappelle la forte concentration du tissu industriel de la période d'indépendance. En effet, le legs colonial a conduit vers la création d'une bande industrielle sur la côte nord-atlantique entre El Jadida et Tanger. Un héritage qui s'est renforcé après un demi-siècle d'indépendance malgré les différentes expériences régionales.

Dépenses d'investissement du budget général par région

Les dépenses d'investissement sont l'une des variables principales de cette étude. Le modèle MLP a calculé une taille optimale de 488,27 millions de dirhams. En conséquence, ce résultat a été appliqué au dernier découpage, comme illustré par la figure 18, mettant en évidence les dépenses d'investissement du budget général par région pour l'année 2018.

Figure 18 : Valeur des dépenses-investissement par région comparée à la taille optimale estimée par le modèle (année 2018 en millions de dh)

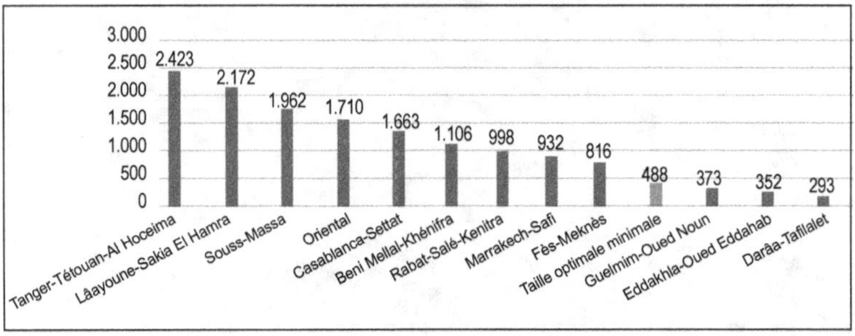

Source : Sortie du modèle en se basant sur les données du ministère de l'Économie et des Finances.

En effet, dans neuf des douze régions, les dépenses en investissement dépassent de manière très significative la taille optimale minimale, avec la région de Tanger-Tétouan-Al Hoceima en tête, suivie de Laâyoune-Sakia El Hamra et des autres régions. Quant aux régions d'Eddakhla-Oued Eddahab, de

Drâa-Tafilalet et celle de Guelmim-Oued Noun, elles enregistrent des dépenses d'investissement inférieures à la taille optimale prédite par le modèle[27].

Valeur ajoutée des hôtels et restaurants

Cette variable, qui concerne le tourisme dans son ensemble, est jugée pertinente pour le progrès socio-économique et environnemental des régions. La taille optimale minimale prédite par le modèle est de 765,44 millions de dh. Appliquer ce résultat aux données de 2019 (figure 19) montre que la région de Béni Mellal-Khénifra et les régions du Sud enregistrent des valeurs inférieures à la taille optimale estimée par le modèle. Celle de Marrakech-Safi enregistre le taux le plus élevé par rapport aux autres régions.

Figure 19 : Valeur ajoutée-hôtellerie-restauration par région (année 2019) comparée à la taille optimale minimale estimée par le modèle (en millions de dh)

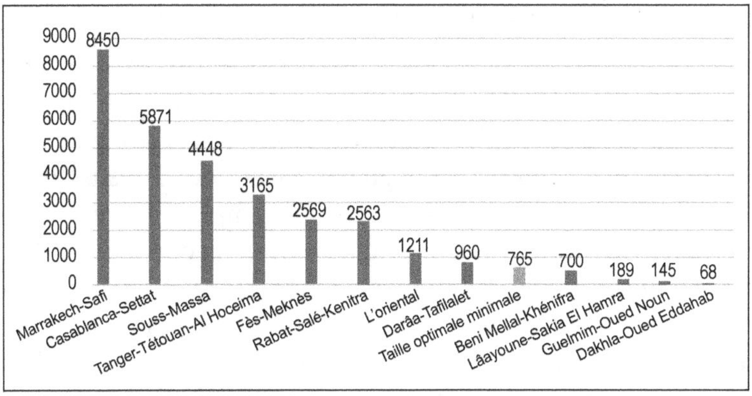

Source : Sortie du modèle en se basant sur les données du HCP.

27. La comparaison est faite sur les données par région de 2018.

À l'instar des autres facteurs économiques et démographiques, les trois régions du Sud en plus de la région de Beni Mellal-Khenifra sont en dessous de la taille optimale minimale. La faiblesse des flux des investissements touristiques demeure la principale cause. Cela ne signifie pas que ces régions ne disposent pas d'atouts touristiques. Au contraire, ces régions renferment des curiosités touristiques attrayantes, mais peu valorisées ou faiblement exploitées en tourisme, et ce, en relation avec les autres facteurs précités, notamment la taille du marché (démographie) et les facteurs économiques (attractivité économique).

Valeur ajoutée du secteur du BTP

S'agissant du secteur du BTP, il est l'une des variables pertinentes retenues pour déterminer sa valeur optimale minimale par le modèle MLP. C'est un secteur crucial dans le développement économique, car il est responsable de la construction et de la maintenance des infrastructures physiques, telles que les routes, les ponts, les bâtiments, les systèmes de distribution d'eau et d'énergie, etc. Ces infrastructures sont essentielles pour soutenir d'autres secteurs économiques, tels que l'industrie, le commerce et le tourisme.

La valeur ajoutée du secteur du BTP peut être un indicateur important de la santé économique globale d'une région. Une augmentation de la valeur ajoutée dans ce secteur peut indiquer une croissance économique, une augmentation de l'investissement dans les infrastructures et une création d'emplois. En revanche, une diminution de la valeur ajoutée peut signaler des difficultés économiques, telles qu'une réduction des dépenses publiques ou privées dans la construction. La taille optimale minimale calculée par ce modèle est de 1866 millions de dh (figure 20). Les régions de Casablanca-Settat et Rabat-Salé-Kénitra enregistrent pour l'année 2019 des valeurs ajoutées des BTP largement supérieures (plus de 10 fois) à la taille optimale prédite par le modèle. Les régions du Sud, celles de Souss-Massa et Béni

Mellal-Khénifra, enregistrent des valeurs inférieures à la taille optimale du secteur du BTP estimé par modèle MLP. Les autres régions présentent des valeurs qui varient du double ou du triple de la taille économique optimale minimale.

Figure 20 : Valeur ajoutée du secteur du BTP (en millions de dh en 2019) comparé à la taille optimale minimale estimée par le modèle

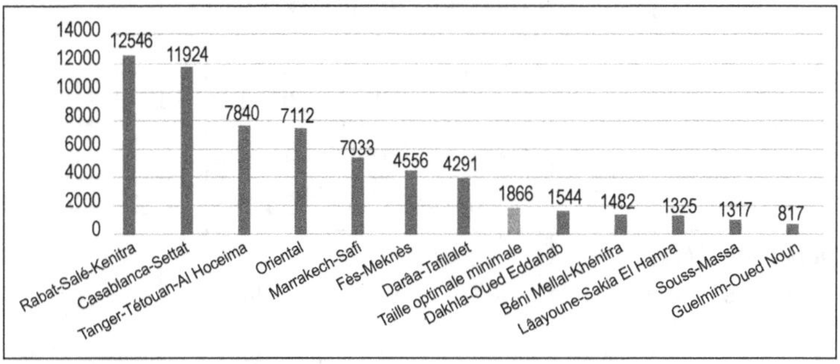

Source : Sortie du modèle en se basant sur les données du HCP.

Les trois régions du Sud se retrouvent en dessous de la taille optimale minimale. De même pour la région de Beni-Mellal-Khénifra et de Souss Massa. La faible diversification des projets structurants demeure la cause principale, à laquelle s'ajoute la faible concentration des entreprises dans ces régions.

Simulation par le modèle de huit variables en fonction de nombre de régions

En interprétant les résultats des différentes variables, il s'avère que certaines régions sont souvent en dessous de la taille économique optimale minimale. Ce qui conduit vers une réflexion sur la réduction du nombre des régions en fusionnant certaines régions dans une seule région afin qu'elle soit proche à la taille optimale minimale.

C'est ainsi que l'exercice de simulation a été répété en utilisant le même PIB, tout en réduisant le nombre de régions, passant de 12 à 11, puis à 10, 9 et enfin à 8. Les valeurs optimales correspondantes aux huit variables retenues se présentent comme suit :

Tableau 16 : Valeurs optimales minimales prédites par le modèle en fonction du nombre de régions pour les huit variables retenues

Variables retenues	PIB/12	PIB/11	PIB/10	PIB/9	PIB/8
Population rurale	204 886	209 419	214 859	221 508	229 818
Population urbaine	635 520	678 559	730 206	793 320	869 686
Dépenses d'investissement (en millions de dh)	488	497	508	521	534
Valeur ajoutée de l'agriculture (en millions dh)	3903	3998	4112	4251	4362
Valeur ajoutée de l'industrie globale (extraction+industrie +raffinage) (en millions de dh)	4868	5661	6613	7776	9228
Nombre d'entreprises	2749	2890	3060	3267	3532
Valeur ajoutée du secteur du BTP [en millions de dh]	1866	2005	2173	2377	2589
Valeur ajoutée des hôtels et restaurants [en millions de dh]	765	780	797	818	858

Source : Sortie du modèle.

Les figures 21, 22 et 23, illustrent parfaitement cette évolution de la taille économique optimale minimale des variables retenues.

Figure 21 : Tailles optimales minimales de la population rurale et la pop urbaine en fonction du nombre de régions

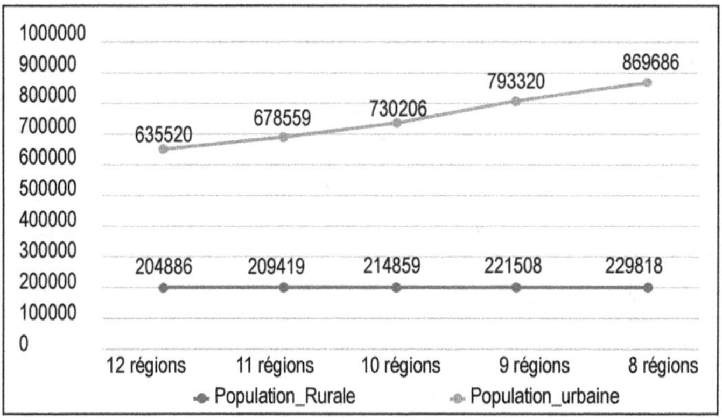

Source : élaboration par l'auteur, données de Sortie du modèle.

Figure 22 : Taille optimale minimale du nombre d'entreprises et des dépenses d'investissement

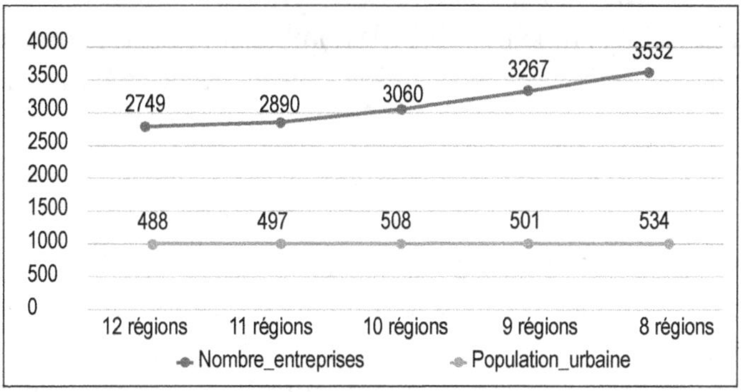

Source : élaboration par l'auteur, données de Sortie du modèle.

Figure 23 : Tailles optimales minimales des valeurs ajoutées [agriculture, industrie, BTP, restauration] en fonction du nombre de régions

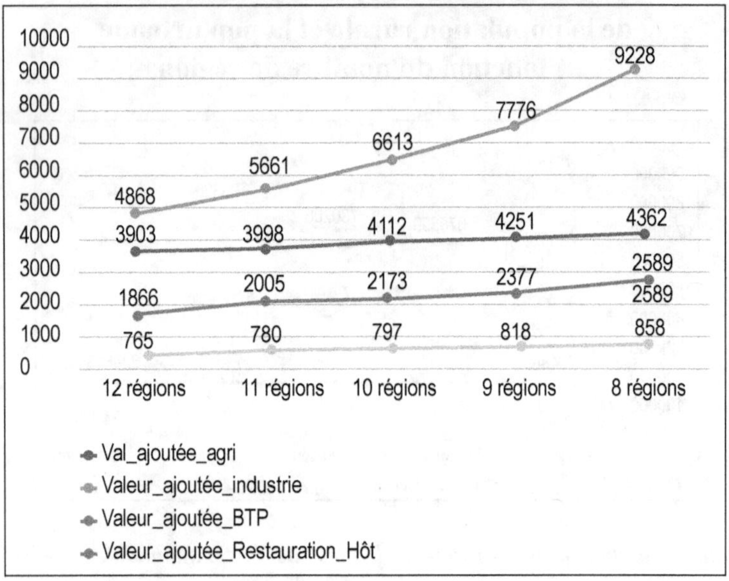

Source : élaboration par l'auteur, données de Sortie du modèle.

Les données des 12 régions [figures 21, 22, et 23] révèlent que certaines régions n'ont pas une taille économique optimale minimale. En revanche, réduire le nombre de régions permettrait de garantir une taille économique optimale pour l'ensemble des régions.

Aussi, l'analyse permet de constater une nette augmentation des valeurs optimales minimales de différentes variables retenues. Le modèle MLP pourra servir comme outil important pour prévoir une nouvelle configuration des régions. Selon le modèle, dès que le nombre de régions est de l'ordre de 9 régions, l'ensemble des régions reflète la taille économique optimale minimale, ce qui permet d'affirmer que la reconfiguration territoriale composée en 9 régions peut constituer idéalement la taille économique optimale minimale selon la modélisation prédictive.

À titre d'illustration, la taille économique optimale minimale d'une région, pour un découpage régional en 9 régions, sera composée selon les valeurs des variables prédites par le modèle :

- D'une taille optimale minimale de la population rurale de 221 508 habitants, soit une évolution de 8 % par rapport à une taille optimale de région issue du découpage actuel.
- Une taille optimale minimale de la population urbaine de 793 320 habitants, enregistrant un taux de croissance de 25 % comparé à la taille optimale d'une région du découpage en 12 régions ;
- De nombre d'entreprises de 521, soit une évolution de 9 %, pour la taille optimale minimale estimée pour 12 régions ;
- Une taille optimale de la valeur ajoutée agricole de 4250,99 millions de dh, soit un taux de croissance de 9 % par rapport à la taille optimale estimée pour une région issue de la configuration actuelle des régions ;
- Une taille optimale de la valeur ajoutée de l'industrie de 7776 millions de dh, avec taux de croissance de 60 % en comparaison avec la taille optimale minimale calculée pour une région issue du découpage actuel ;
- Une taille optimale minimale de la valeur du BTP de 2377,22 millions de dh, soit une évolution de 27 % par rapport à la taille optimale prédite pour une région du découpage actuel ;
- Une taille optimale minimale de la valeur ajoutée du tourisme [restauration et hôtellerie] de 817,54 millions de dh qui représente une évolution de 7 % en comparaison

avec la taille optimale minimale estimée pour une région issue du dernier découpage ;

- Une taille optimale minimale relative aux dépenses d'investissement de 520,94 millions de dh, avec un taux de croissance de 7 % par rapport à la même taille optimale prédite pour la région du découpage actuel.

Ces résultats confirment bien les résultats des analyses démographiques. Pour rappel, l'analyse du cadre démographique a démontré la nécessité de revoir le nombre de régions en se référant aux pôles urbains dont le nombre varie de 7 à 9 pôles. La polarisation est une condition incontournable dans la définition du nombre de régions. Il s'agit de 9 régions polarisées par les grandes villes [pôles démographiques] de Tanger, Casablanca, la métropole de Rabat-Salé-Témara-Kénitra, Fès, Meknès, Oujda, Safi, Marrakech, et Agadir [pôle démographique régional regroupent également les provinces du Sud].

Analyse des résultats du modèle appliqué sur les deux scénarios

Scénario 1 :

Dans ce cadre, il a été considéré que toutes les régions connaîtront une croissance équitable, avec un taux moyen annuel de 6 % à l'horizon 2035. Pour estimer les valeurs des huit variables, le PIB régional, déterminé sur la base de cette hypothèse de croissance annuelle de 6 % pour chaque région d'ici 2035, a été intégré dans le modèle. Les résultats obtenus sont présentés dans le tableau 17 suivant :

Tableau 17 : Tailles économiques optimales minimales des variables prédites par le modèle

Variables de sorties du modèle [Scénario1]	Population rurale	Population urbaine	Dépenses d'investissement [en millions de dh]	Valeur ajoutée agriculture (en millions de dh)	Valeur ajoutée industrie (en millions de dh)	Nombre d'entreprises	Valeur ajoutée BTP (millions de dh)	Valeur ajoutée Restauration-Hôtellerie (millions de dh)
Tanger-Tetouan-Al Hoceima	400622	1628135	616	5418	22201	6341	3126	1253
Oriental.	324351	921689	560	4620	9381	3572	1907	921
Fès-Meknès	366606	1314164	592	5071	16542	5113	2590	1104
Rabat-Salé-Kénitra	479113	2351984	670	6220	35248	9171	4362	1596
Béni Mellal-Khénifra	332789	1002228	568	4726	10919	3893	2057	957
Casablanca-Settat	719532	4569705	837	8674	75223	17843	8150	2647
Marrakech-Safi	362760	1278693	589	5032	15902	4974	2529	1088
Drâa-Tafilalet	277328	596209	475	3687	3530	2304	1202	723
Souss-Massa	337981	1050116	572	4779	11782	4080	2139	979
Guelmim-Oued Noun	192827	399012	328	2107	1001	1641	870	385
Laâyoun-Sakia El Hamra	232690	485830	393	2832	1969	1936	1012	539
Eddakhla-Oued Eddahab	171281	354618	293	1750	718	1520	802	320

Source : Sortie du modèle MLP.

Le travail présenté dans cette partie avait pour objectif de déterminer la taille économique optimale minimale des variables qui ont présenté une corrélation significative avec le PIB, en utilisant l'intelligence artificielle (Deep Learning). Le modèle MLP a permis, à travers des techniques appropriées de régularisation et d'optimisation, de généraliser des données tout en évitant pendant l'entraînement le surajustement (Overfitting). Ceci affirme la performance du modèle et la pertinence des valeurs prédites pour chaque variable par région.

L'analyse des tailles optimales minimales prédites par ce modèle révèle une tendance presque similaire pour toutes les régions. En effet, les valeurs de toutes les variables confirment la dominance de la région de Casablanca-Settat, suivi de Tanger-Tétouan-Al Hoceima et celle de Rabat-Salé-Kénitra. À titre d'illustration, la taille optimale minimale relative au nombre d'entreprises à l'horizon 2035 calculé pour Casablanca-Settat est de 17 843 entreprises. Ce chiffre représente l'équivalent du double de trois régions du sud plus celle de Souss-Massa. Les mêmes résultats se confirment pour les autres variables, notamment la taille optimale minimale d'ici 2035, de la population rurale, de la population urbaine, des valeurs ajoutées de l'agriculture, de l'industrie, du secteur du BTP, etc.

Quant au **Scénario 2**, pour lequel il a été considéré que les régions contribueront d'une manière disproportionnée pour atteindre la croissance annuelle nationale moyenne de 6 % d'ici 2035, les résultats obtenus ne présentent pas de différence significative par rapport aux résultats du scénario 1. Les tailles optimales minimales sur la base économique de huit variables prédites sont presque les mêmes. Les illustrations de certaines variables, notamment la variable relative à la valeur ajoutée de l'agriculture et celle du nombre d'entreprises (figure 24), confirment bien cette tendance.

Figure 24 : Estimation de la taille optimale minimale de la valeur ajoutée de l'agriculture (2035) _Sc1 et Sc2

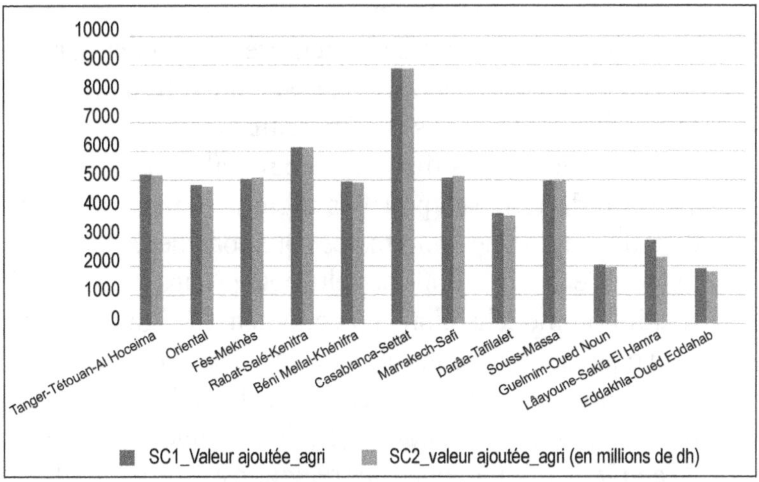

Source : élaboration par l'auteur, données de Sortie du modèle.

Figure 25 : Estimation de la taille optimale minimale-nombre d'entreprises (2035) _SC1_ SC2 (2035)

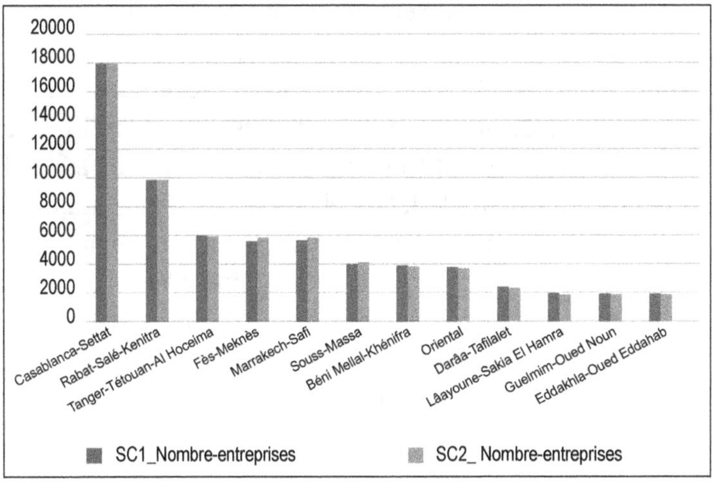

Source : élaboration par l'auteur, données de Sortie du modèle.

Il ressort de l'analyse de ces deux scénarios ce qui suit :

- Si on grade le même découpage régional d'ici 2035, le développement économique des régions reste inchangé. Les régions qui créent de la richesse continuent dans la même voie et celles, dont la contribution au PIB national est faible, croupissent dans la même situation. Cela implique une persistance des disparités régionales et une faible création de richesse pour les régions dont les valeurs de tailles optimales minimales sont considérées comme faibles. Ce résultat confirme celui obtenu dans le chapitre 5 relatif à la modélisation en économétrie (Sigma et Beta convergence). Ce résultat prouve qu'il faudrait 15 ans pour que la moitié de l'écart qui sépare le PIB par habitant d'une région de son état stationnaire se dissémine et la vitesse de convergence moyenne des régions est estimée à 5,1 % ;
- Les valeurs prédites par le modèle MLP montrent que, si on s'inscrit dans les orientations du NMD, à savoir assurer une croissance moyenne annuelle de 6 % d'ici 2035, il est indispensable de revoir le découpage régional actuel afin de garantir un certain équilibre entre les régions en termes de création de richesse. Une reconfiguration des régions pourrait aider à éviter que les écarts entre régions riches et pauvres ne deviennent trop difficiles à combler. En effet, les régions riches situées notamment dans l'axe Tanger-El Jadida, en raison de leur richesse et de leur dynamisme économique, pourraient être réticentes à financer les autres collectivités. À cet égard, le découpage régional actuel pourrait aggraver davantage les disparités territoriales à la fois interrégionales et infrarégionales ;
- Les données des variables estimées par le modèle MLP révèlent un écart considérable en matière de développement économique entre les régions. Elles suggèrent ainsi une

reconfiguration de l'organisation territoriale actuelle afin d'aboutir à un découpage régional optimal, favorisant un meilleur équilibre entre les régions ;

- Les résultats obtenus à travers cette modélisation prédictive confirment les propos des institutions consultatives, notamment le CESE qui appelle, dans son avis du 27 avril 2023, « à procéder à une évaluation d'étape du chantier de la régionalisation avancée en impliquant les principaux acteurs et parties prenantes concernés. Sur la base des résultats de cette évaluation, un débat est suggéré en vue de façonner une perspective collective et concertée, tant au niveau de l'approche que du déploiement de ce chantier. Il s'agit de repenser en profondeur les missions de l'État au niveau territorial afin de favoriser un déploiement efficace et efficient de son action sous-tendu par une articulation synchrone et harmonieuse entre les dynamiques de la décentralisation et de la déconcentration ».

Pour les deux scénarios, la croissance socio-économique régionale au Maroc diffère d'une région à l'autre, mais conservent toujours les disparités et écarts enregistrés actuellement, ou même les amplifiés avec le temps, surtout avec le deuxième scénario. Cette croissance régionale sera ainsi marquée par les éléments suivants :

- Sur le plan démographique, et partant de l'hypothèse que les régions contribueront d'une manière égale dans le taux de croissance du PIB à hauteur de 6 % à l'horizon 2035, les inégalités entre les régions seront renforcées. Des régions très peuplées comme Casablanca-Settat, Rabat-Salé-Kénitra et Tanger-Tétouan Al-Hoceima seront plus peuplés encore à la fois en citadins et en population rurale. Ceci s'explique par la croissance qu'a connue le Maroc en partant d'une situation actuelle marquée par des déséquilibres et une forte polarisation des trois régions. Maintenir la même configuration régionale actuelle pour le NMD signifie le maintien des disparités régionales démographiques, voire même les amplifier. La seule particularité réside dans l'amélioration des indicateurs de la population urbaine dans les régions à dominance rurale, comme Draa-Tafilalet, Marrakech-Safi et Souss-Massa, et ce, en relation avec l'évolution de l'urbanisation et la migration rurale ; mais pas forcément avec la création de grands pôles urbains dans ces régions ;

- Sur le plan des ressources naturelles, bien que les variables retenues ne reflètent aucune corrélation avec le PIB, la forte polarisation des trois régions (Casablanca-Settat, Tanger-Tétouan-Al Hoceima et Rabat-Salé-Kénitra) mènera vers un déséquilibre en termes d'accès aux ressources naturelles vitales, notamment l'eau. D'abord à cause de la forte croissance démographique des trois régions, mais aussi à cause des besoins croissants dictés par le développement économique que connaissent ces régions. L'accès à la mer et aux ressources halieutiques demeure essentiel pour la région Draa-Tafilalet, qui, selon les deux scénarios, connait une faible croissance économique (investissement, nombre d'entreprises, valeur ajoutée industrielle, etc.) ;
- Sur le plan économique, les variables relatives aux taux de croissance des secteurs économiques (la valeur ajoutée _agricole, valeur ajoutée industrielle, la valeur ajoutée du secteur du BTP et celle du tourisme et hôtellerie) suivent la même tendance dans le scénario 2. Les écarts et les disparités entre les régions à l'heure actuelle seront maintenus à l'horizon de 2035. Une situation qui s'explique par la forte concentration des entreprises et des investissements dans les trois régions reflétant la forte polarisation économique (Casablanca-Settat, Tanger-Tétouan-Al Hoceima et

Rabat-Salé-Kénitra). Maintenir le même découpage risque d'amplifier ces disparités économiques. Pour rappel, l'analyse économétrique a montré que la sigma-convergence et la bêta-convergence inconditionnelle ne permettent pas de prouver l'existence d'une convergence, mais plutôt une divergence entre les régions.

- Les résultats d'analyse quantitative de la dimension économique se croisent avec les résultats de la modélisation prédictive pour les deux scénarios ; la Beta convergence conditionnelle lorsqu'elle existe, elle ne signifie pas que les régions convergent toutes vers le même équilibre. Mais plutôt que chaque région converge vers son propre état stationnaire. À ce rythme, il faudrait 15 ans pour réduire de moitié l'écart entre le PIB par habitant d'une région et son état stationnaire, correspondant à l'échéance de 2035 des deux scénarios. La vitesse de convergence moyenne des régions est estimée à 5,1 % par an, proche des 6 % projetés par le NMD.

Conclusion

L'objectif de ce chapitre est de fournir une contribution méthodologique pour le choix des variables pertinentes et la détermination de la taille économique optimale minimale d'une région. Les analyses des dimensions démographique, environnementale et économique ainsi que l'utilisation du modèle MLP ont conduit aux conclusions suivantes :

- Cette démarche confirme la capacité des Multi-Layer Perceptrons (MLPs) à prédire, avec une bonne précision (loss= 0,0303 et val_loss= 0,0527), les données de variables constituant la taille économique optimale minimale d'une région. Ces données ont été calculées selon la simulation relative à l'optimisation sans contraintes et les deux scénarios basés sur les orientations du NMD fixant 6 % de croissance annuelle à l'horizon 2035 ;

- Le modèle MLP a permis de raisonner la taille optimale minimale d'une région sur une base économique, par conséquent l'hypothèse 4 a été confirmée ;
- Le modèle a permis également de prévoir à travers des simulations en fonction de nombre de régions (un découpage avec 12, 11, 10, 9, ou 8 régions) des données optimales minimales des variables pertinentes à savoir : la population urbaine et rurale, le nombre d'entreprises, la part de l'agriculture et de l'industrie dans la valeur ajoutée globale, les dépenses d'investissement, la valeur ajoutée du secteur du BTP, la valeur ajoutée de la restauration-hôtellerie ;
- L'originalité de cette démarche réside dans l'intégration des trois dimensions (démographique, environnementale et économique) pour déterminer d'abord les variables pertinentes et en suite raisonner une taille économique optimale minimale d'une région ;
- Le modèle adopté constitue une ébauche pour la prédiction d'autres variables optimales, notamment celles relevant du capital naturel, mais à condition de disposer des données statistiques sur une série d'années, car le MLP nécessite beaucoup de données pour pouvoir mieux généraliser et prédire les valeurs des variables de sortie ;
- Les implications directes des résultats de cette recherche sont de nature à permettre aux chercheurs et doctorants qui travailleront sur cette thématique de régionalisation avancée de maitriser la prédiction des valeurs d'autres variables socio-économiques et politique/gouvernance avec une bonne précision.

CONCLUSION GÉNÉRALE ET IMPLICATIONS

Le développement économique régional est un processus en constante évolution, influencé par des facteurs multiples, tels que les dynamiques démographiques, l'urbanisation, l'industrialisation, les transformations socio-économiques ou encore les choix politiques. Dans ce contexte mouvant, le découpage territorial ne peut rester figé. Il devient un outil stratégique que les États mobilisent pour adapter l'organisation de l'espace aux réalités du moment, corriger les déséquilibres territoriaux, renforcer la gouvernance locale et impulser un développement plus équitable.

Le Maroc, qui a connu trois grandes réformes territoriales (1971, 1997, 2015), illustre cette volonté d'adapter en permanence son organisation régionale. Cependant, au-delà des réformes formelles, les disparités entre les régions subsistent, voire s'accentuent. Les inégalités économiques, sociales et environnementales appellent à une réflexion approfondie sur les critères de régionalisation, afin de favoriser une croissance harmonieuse sur l'ensemble du territoire.

Cet ouvrage s'inscrit dans cette perspective. Il propose une analyse intégrée des dimensions démographique, environnementale et économique du découpage régional, tout en mobilisant des outils empiriques robustes, notamment une modélisation prédictive fondée sur l'apprentissage automatique (modèle MLP). L'objectif est de déterminer ce que pourrait être une taille économique optimale minimale pour une région, en tenant compte des caractéristiques et des potentialités spécifiques à chaque territoire.

L'analyse de la dimension démographique a permis de mettre en avant des critères clés, tels que la densité de population ou la proportion de population rurale, qui jouent un rôle structurant dans l'efficacité des politiques publiques territorialisées. Le croisement avec des données cartographiques et la typologie OCDE permet de mieux cerner les spécificités régionales et de mieux cibler les besoins en fonction des typologies territoriales (urbaines, intermédiaires, rurales).

Du côté environnemental, l'étude souligne que les ressources naturelles (eau, forêts, sols, biodiversité) sont inégalement réparties entre les régions, et souvent ignorées dans les schémas de découpage. L'hétérogénéité interne de nombreuses régions actuelles, comme Beni Mellal-Khénifra ou Fès-Meknès, illustre le manque de prise en compte du capital naturel dans les logiques de configuration territoriale. En l'absence de mécanismes de compensation entre régions, ces déséquilibres freinent la mise en place de stratégies solidaires de développement.

Sur le plan économique, les résultats de la modélisation économétrique montrent une forte polarisation autour de trois grandes régions, Casablanca-Settat, Rabat-Salé-Kénitra et Tanger-Tétouan-Al Hoceima, qui concentrent la majorité des investissements et des activités économiques. L'analyse des convergences (sigma et bêta) révèle une divergence croissante entre les régions à partir de 2013, mettant en lumière les limites de l'actuel découpage à réduire les écarts de développement.

Dans ce contexte, l'apport principal de ce travail réside dans la mise en œuvre d'un modèle MLP pour estimer la taille économique minimale optimale d'une région, à partir d'un ensemble de variables fortement corrélées avec le PIB régional. L'analyse révèle que certaines régions n'atteignent pas ce seuil, ce qui justifie une réflexion sur la configuration du territoire national. Les simulations effectuées montrent que la réduction du nombre de régions à neuf permettrait de mieux approcher cette taille économique optimale minimale, rendant ainsi les régions plus robustes économiquement.

L'étude projette également les effets de ces configurations futures à l'horizon 2035, dans le cadre du Nouveau Modèle de Développement. Deux scénarios ont été envisagés, montrant que les disparités régionales pourraient perdurer, voire s'aggraver, si le découpage actuel est maintenu. Une reconfiguration plus rationnelle, basée sur la convergence des potentiels démographiques, économiques et naturels, s'impose comme une nécessité pour mieux orienter les politiques publiques.

Les résultats empiriques issus des deux scénarios analysés mettent en évidence une croissance économique régionale différenciée au Maroc. Celle-ci se manifeste par une évolution contrastée entre les régions, contribuant au maintien, voire à l'aggravation, des disparités territoriales. Cette dynamique régionale se distingue par plusieurs caractéristiques que nous exposerons ci-après :

- Sur le plan démographique, s'il est admis que toutes les régions contribueront de manière équitable à une croissance du PIB de 6 % d'ici 2035, les inégalités entre les régions seront exacerbées. Les régions fortement peuplées, telles que Casablanca-Settat, Rabat-Salé-Kénitra et Tanger-Tétouan-Al Hoceima, verront leur poids démographique augmenter à la fois en termes de population urbaine et rurale. Cette situation découle de la trajectoire de croissance que connaît le Maroc à partir d'une situation actuelle caractérisée par des déséquilibres et une forte polarisation des trois régions principales. Maintenir la même configuration régionale actuelle pour le NMD entraînerait la persistance, voire l'aggravation, des disparités démographiques entre les régions. La seule différence notable résiderait dans l'amélioration des indicateurs de population urbaine dans les régions à prédominance rurale, telles que Draa-Tafilalet, Marrakech-Safi et Souss-Massa, en relation avec l'évolution de l'urbanisation et de l'exode rural. Mais, cela ne s'accompagnerait pas par la création de grands pôles urbains dans ces régions.

- En ce qui concerne le capital naturel, la concentration importante de la population dans les trois régions principales (Casablanca-Settat, Tanger-Tétouan-Al Hoceima et Rabat-Salé-Kénitra) risque de créer un déséquilibre en termes d'accès aux ressources naturelles cruciales, notamment l'eau. Cette situation est attribuable à la croissance démographique rapide de ces régions, ainsi qu'aux besoins accrus induits par leur développement économique. L'accès à la mer et aux ressources halieutiques demeure particulièrement vital pour la région Draa-Tafilalet, qui connaît une croissance économique modérée selon les deux scénarios (en termes d'investissement, de nombre d'entreprises, de valeur ajoutée industrielle, etc.).

- D'un point de vue économique, les variables liées aux taux de croissance des différents secteurs économiques (valeur ajoutée agricole, industrielle, du BTP et du tourisme et de l'hôtellerie) suivent une trajectoire similaire dans les deux scénarios. Les disparités entre les régions observées actuellement sont susceptibles de perdurer jusqu'en 2035. Cette situation découle de la concentration importante des entreprises et des investissements au niveau régional dans les trois principales régions, ce qui reflète une forte polarisation économique de trois régions : Casablanca-Settat, Tanger-Tétouan-Al Hoceima et Rabat-Salé-Kénitra. Garder le même découpage risque d'accentuer ces inégalités économiques.

- Les conclusions tirées de l'analyse, notamment de la dimension économique, sont corroborées par les résultats de la modélisation prédictive pour les deux scénarios. La bêta-convergence conditionnelle, lorsqu'elle se manifeste, n'implique pas une convergence uniforme de toutes les régions vers un même équilibre, mais plutôt une progression de chaque région vers son propre état stationnaire. Il est estimé qu'il faudrait environ 15 ans pour réduire de moitié l'écart entre le PIB par habitant d'une région de son état stationnaire, correspondant ainsi à l'horizon 2035 pour les deux scénarios considérés. Selon les résultats obtenus, la vitesse moyenne de convergence des régions vers leurs états stationnaires est estimée à 5,1 % par an, un taux qui s'approche de celui de 6 % prévu dans le NMD.

Sur le plan méthodologique, l'originalité de cet ouvrage réside dans l'articulation entre analyse qualitative des dynamiques territoriales et modélisation quantitative à l'aide de l'intelligence artificielle. Il s'agit de la première application du modèle MLP dans le champ de la régionalisation avancée au Maroc. Au-delà de la contribution scientifique, cet outil se révèle opérationnel pour les décideurs, en offrant une grille d'analyse des variables clés du développement régional et une capacité prédictive permettant d'éclairer les choix futurs.

Cette approche peut être enrichie dans de futures recherches, notamment par l'intégration d'un plus grand nombre de variables environnementales ou sociales, à condition de disposer de bases de données fiables et désagrégées dans le temps. Elle peut également être adaptée à d'autres échelles d'analyse, comme celle des villes ou des groupements communaux, afin d'identifier les futurs pôles économiques.

Les implications de ce travail sont multiples. Sur le plan scientifique, il ouvre la voie à des recherches appliquées sur la territorialisation du développement et l'optimisation des découpages administratifs. Sur le plan opérationnel, il propose un outil d'aide à la décision aux pouvoirs publics, en intégrant les dimensions essentielles du développement régional. Enfin, sur le plan stratégique, il alimente la réflexion autour d'un aménagement du territoire plus cohérent avec les objectifs du développement durable et les exigences de la régionalisation avancée.

En somme, cet ouvrage ambitionne de fournir un cadre analytique rigoureux et prospectif, susceptible d'éclairer les choix futurs en matière de structuration régionale. En intégrant les dynamiques réelles du territoire et en s'appuyant sur une exploitation approfondie des données régionales (PIB, population, investissements, etc.), il mobilise des méthodes de modélisation avancée, analyse croisée des variables par corrélation, modélisation prédictive via le modèle MLP, pour estimer la taille économique optimale des régions.

Cet ouvrage s'adresse à la fois aux chercheurs, aux praticiens et aux décideurs soucieux de penser autrement l'organisation territoriale du Maroc et de poser les fondements d'une croissance économique régionale plus inclusive.

TABLEAU DES ABRÉVIATIONS

Abréviation	**Signification**
ANEF	Agence Nationale des Eaux et Forêts
BM	Banque Mondiale
BTP	Bâtiment et Travaux Publics
CESE	Conseil Economique, Social et Environnemental du Maroc
CE	Communauté économique
CVL	Coefficient de Variation du Logarithme
CNRS	Centre National de la Recherche Scientifique
CCR	Commission Consultative de la Régionalisation
CSNMD	Commission Spéciale sur le Nouveau Modèle de Développement
CRI	Centre Régional d'Investissement
DL	Apprentissage Profond (Deep Learning)
EQM	Erreur quadratique moyenne (Mean-Squared-Error)
EU	Essentiellement Urbaine
ER	Essentiellement Rurale
FAO	Organisation des Nations Unies pour l'Alimentation et l'Agriculture
HCP	Haut-Commissariat au Plan
IN	Intermédiaires

Abréviation	Signification
IA	Intelligence Artificielle
ICOR	Incremental Capital Output Ratio
NMD	Nouveau modèle de développement
MLP	Perceptron Multicouches (Multi-Layer Perceptron)
MAB	Man and Biosphere/Réserves de Biosphère
OCDE	Organisation de Coopération et de Développement économiques
OCP	Office Chérifien des Phosphates
OMC	Organisation Mondiale du Commerce
PIB	Produit Intérieur Brut
PDR	Programme de Développement Régional
PSE	Paiement pour services écosystémiques
RGPH	Recensement Général de la Population et de l'Habitat
RGM	Richesse Globale du Maroc
SIBE	Site d'Intérêt Biologique et Écologique
SIG	Système d'information géographique
SRAT	Schéma Régional d'Aménagement du Territoire
SNAT	Schéma National d'Aménagement du Territoire
SAU	Superficie Agricole Utile
SGD	Descente de Gradient Stochastique (Stochastique Gradient Descent)
Sc1	Scénario 1
Sc2	Scénario 2
TL2	Niveau territorial 2
TL3	Niveau territorial 3
VC	Validation croisée (Cross-validation)

RÉFÉRENCES BIBLIOGRAPHIQUES

Alesina, A., & Spolaore, E. (2003). *The size of nations.* MIT Press.

Aydalot, Ph. (1987). *Le concept de région dans la définition de la planification régionale.* Centre Économie-Espace-Environnement, Université de Paris 1 Panthéon-Sorbonne.

Abreu, M., & al. (2005). Space and growth : A survey of empirical evidence and methods. Regional *Science and Urban Economics, 35*(5), 584–606.

Belhedi, A. (2011). *Décentralisation, aménagement du territoire et démocratie locale en Tunisie : Défis et enjeux.* FSHS, Université de Tunis, Tunisie.

Alesina, A., Spolaore, E., & Wacziarg, R. (2000). Economic integration and political disintegration. *American Economic Review, 90*(5), 1276–1296.

Bellaoui, A. (2009). L'organisation régionale au Maroc : vers une plus grande artificialisation de l'espace géographique. In S. Boujrouf, A. Antheaume, F. Giraut, & P. Landel (Eds.), *Les territoires à l'épreuve des normes : référents et innovations, contributions croisées sud-africaines, françaises et marocaines* (pp. 79-92). LERMA & Revue Montagnes Méditerranéennes.

Beckerman, W. (1994). Sustainable development : Is it a useful concept ? *Environmental Values, 3*(2), 191–209. https ://doi.org/10.3197/096.327.194776679439

Boisvert, A. (1981). Le découpage de l'espace et les théories économiques de la croissance et du développement régional. *Espace géographique, 10*(2), 99–106. https://doi.org/10.3406/spgeo.1981.2286

Brunet, R., & al. (1993). Réflexion sur la région, treize ans après. *EspacesTemps, Cahiers, 51-52.*

Baumol, W. J. (1986). *Productivity growth, convergence, and welfare: What the long-run data show. American Economic Review, 76*(5), 1072–1085.

Brennetot, A., & de Ruffray, S. (2014). Découper la France en régions : l'imaginaire régionaliste à l'épreuve du territoire. *Cybergeo : European Journal of Geography.* https://doi.org/10.4000/cybergeo.26376

Baumont, C., & Le Gallo, J. (1999). Les tests empiriques des modèles urbains multicentriques. LATEC – Document de travail – Economie (1991-2003), 1999-13. LATEC, Laboratoire d'Analyse et des Techniques Économiques, CNRS UMR 5118, Université de Bourgogne.

Benida, O., Allali, Kh., Ramou, H., & Fadelaoui, A. (2022). La dimension démographique dans le découpage régional : quelle adaptation au contexte marocain? *Revue des Études Multidisciplinaires en Sciences Économiques et Sociales, 7*(3). https://revue-rmses.com/index.php/RMSES/article/view/309.

Benida, O., Allali, Kh., Ramou, H., & Fadelaoui, A. (2023). Place de la dimension environnementale dans le découpage régional au Maroc. *Revue Innovation et Dynamiques Territoriales, 3.* https://revue-idt.org/index.php/RIDT/article/view/156

Benida, O., Allali, Kh., Ramou, H., & Fadelaoui, A. (2023). The economic dimension in regional division in Morocco: Analysis of the convergence of regions. *African Scientific Journal, 3*(19), 353–373. https://asj.africa/index.php/asj/article/view/512

Benida, O., Allali, K., Ramou, H. et al. Methodological reasoning for determining optimal economic size of regions: a Multi-Layer Perceptron approach. SN Bus Econ 5, 60 (2025). https://doi.org/10.1007/s43546-024-00781-9

Barro, R. J., & Sala-i-Martin, X. (1991). Convergence across states and regions. *Brookings Papers on Economic Activity, 22*(1), 107–182. https://doi.org/10.2307/2534639

Bourgeais, V. (2022). *Interprétation de l'apprentissage profond pour la prédiction de phénotypes à partir de données d'expression de gènes* [Thèse de doctorat, Université Paris-Saclay]. https://tel.archives-ouvertes.fr/tel-03678912

Badri, L. (2020). *La décentralisation au Maroc : quelles perspectives pour la gouvernance locale et le développement territorial ? (Cas de la régionalisation avancée)* [Thèse de doctorat, Université Grenoble Alpes]. TEL Archives ouvertes. https://theses.hal.science/tel-02634732

Bailly, A. (1971). L'analyse régionale. Paris : Presses universitaires de France (PUF).

Berry, B. J. L. (1967). *Geography of market centers and retail distribution.* Prentice-Hall.

Bernard, F. (2013). *L'intelligence territoriale, une nécessité.* L'Harmattan.

Bernard, P., & Pierre, C. (2014). *Le développement territorial : Une réponse émergente à la mondialisation.* Éditions Charles Léopold Mayer.

Bailly, A. (1971). La théorie de la base économique : son histoire, son utilisation. *Revue géographique de l'Est, 11* (3-4), 299–317. https://doi.org/10.3406/rgest.1971.1298

Bookchin, M. (1982). *The ecology of freedom: The emergence and dissolution of hierarchy.* Cheshire Books.

Bigot, J. (2019). *Introduction au deep learning.* Institut de Mathématiques de Bordeaux, Université de Bordeaux. https://hal.archives-ouvertes.fr/hal-02447319

Berriane, M. (2015). Dynamiques territoriales et politiques publiques : territoires fonctionnels et territoires officiels. In B. Dupret et al. (Eds.), *Le Maroc au présent* (pp. 31–60). https://books.openedition.org/cjb/998?lang=fr

Boujrouf, S., & Giraut, F. (2000). Des territoires qui s'ignorent ? Dichotomie entre territoires administratifs et espaces de mobilisation au Maroc.

Blum, A. (1997), Machine Learning Theory. Department of Computer Science, Carnegie Mellon University, https://www.cs.cmu.edu/~avrim/Talks/mlt.pdf

Brunet, R. (1972). *Pour une théorie de la géographie régionale.*

Bouzou, N. (2009). Renforcer le rôle économique des régions. *Fondation pour l'innovation politique.* https://www.fondapol.org/publication/renforcer-le-role-economique-des-regions/

Beguin, H., Auray, J.-P., Bailly, A., Derycke, P.-H., & Huriot, J.-M. (Eds.). (1994). *Encyclopédie d'économie spatiale.* Economica.

Brondizio, E. S., et al. (2016). *Reconceptualising the Anthropocene: À call for collaboration. Global Environmental Change*, 39, 318–327. https://doi.org/10.1016/j.gloenvcha.2016.02.006

Bourdin, S. (2013). Une mesure spatiale locale de la sigma convergence pour évaluer les disparités régionales dans l'Union européenne. *Normandy Business School.*

CCR. (2010). *Rapport sur la régionalisation avancée-Livre I: Conception générale.* http://www.regionalisationavancee.ma/PDF/Rapport/Fr/L1_ConceptionGenerale.pdf

Clerc, P., Guerraoui, D., & Richet, X. (dirs.). (2018). *Les nouveaux territoires économiques : acteurs et facteurs de l'émergence. Comparaisons internationales* (671 p.). Paris : L'Harmattan. ISBN 978-2-336-30762-6.

Clerc, P., Guerraoui, D., & Richet, X. (dirs.). (2014). *Intégrations régionales et prospective des territoires : Comparaisons internationales* (Actes de la 2e Rencontre internationale de Dakhla, 21-22 novembre 2013). Paris : L'Harmattan. 376 p. ISBN 978-2-336-30553-0.

Cass, D., & Shell, K. (1976). Essay I–Introduction to Hamiltonian dynamics in economics. *Journal of Economic Theory.* https://doi.org/10.1016/B978-0-12-163650-0.50006-3

Chatelais, N. (2011). *Country size and growth in Europe* [Archive ouverte HAL]. Sorbonne Economics Center. https://halshs.archives-ouvertes.fr/halshs-00654385

Capello, R., & Nijkamp, P. (Eds.). (2009). *Handbook of regional growth and development theories.* Edward Elgar Publishing. https://doi.org/10.4337/9781848445987

Courlet, C., & Kamal, A. (2022). L'inscription nécessaire du territoire au cœur du Nouveau modèle de développement : des orientations stratégiques face aux défis de la cohésion territoriale. In A. Kamal & C. de Miras (Eds.), *Territoires et création de valeurs : l'État et la dynamique des acteurs au Maroc* (pp. 174-194). Economia-HEM Research Center.

Campagne, P., & Pecqueur, B. (2014). Le développement territorial : une réponse émergente à la mondialisation. Paris : Éditions Charles Léopold Mayer.

Constitution de 2011 (Maroc). Articles 31 et 35.

Commission consultative de la régionalisation. (2010). *Rapport final sur la régionalisation avancée.*

Conseil économique, social et environnemental (CESE). (2023). Avis sur « Pour un développement harmonieux et inclusif des territoires : les inflexions majeures » (Auto-saisine n° 69).

Conseil économique, social et environnemental (CESE). (2016). Rapport sur la richesse globale du Maroc entre 1999 et 2013 : Le capital immatériel, facteur de création et de répartition équitable de la richesse nationale.

Conseil économique, social et environnemental (CESE). (2016). Exigences de la régionalisation avancée et défis de l'intégration des politiques sectorielles (Auto-saisine n° 22).

Commission mondiale sur l'environnement et le développement des Nations Unies. (1987). *Rapport Brundtland.*

David, R. (1772–1823). The work and correspondence of David Ricardo (P. Sraffa, Éd., Vol. 1–11). Liberty Fund. http://oll.libertyfund.org/title/159

De Truchis, G. (2014-2015). *La croissance et le modèle de Solow*. Macroéconomie L1, Semestre 2. [Cours : https://www.docsity.com/en/docs/licence-d-economie-2020/8439800/].

Dumont, G. F. (2004). Les régions et la régionalisation en France. Ellipses Édition Marketing S.A.

Fujita, M., & Thisse, J.-F. (2002). Economics of agglomeration: Cities, industrial location, and globalization. Cambridge University Press. https://doi.org/10.1017/CBO9780511801389

Derbal, S., & Tahrouch, M. (2021). La régionalisation avancée au Maroc : Quels apports pour la gouvernance territoriale ? Revue Internationale des Sciences de Gestion, 4(2), 588–606.

Durlauf, S. N., & Quah, D. T. (1999). The new empirics of economic growth. In J. B. Taylor & M. Woodford (Eds.), Handbook of Macroeconomics (Vol. 1, pp. 235-308). Elsevier.

Département de la Pêche maritime. http://www.mpm.gov.ma/wps/portal/PortalI MPM

Éloi, L., & Le Cacheux, J. (2010). Taille des pays et stratégies de croissance. Revue de l'OFCE, 112(1), 171–190. Éditions OFCE. https://doi.org/10.3917/reof.112.0171

El Ghannouchi, I., et al. (2023). La régionalisation avancée comme nouveau mode de gouvernance territoriale au Maroc : Étude analytique des défis et des opportunités. Revue Française d'Économie et de Gestion, 4(9), 19–35.

El Ansari, R. (2008). Le développement régional face aux disparités socio-économiques au Maroc [Thèse de doctorat, Université Paris XII-Val-de-Marne].

El Bouhali, A. (2012). La région : territoire et développement. Consulté à l'adresse : file : ///C : /Users/Omar/Downloads/La%20r%C3%A9gion%20.%20territoire%20et%20d%C3%A9veloppement%20(1).pdf

Fonds Mondial pour la Nature (WWF). (2020). Capital naturel et stratégies des organisations : Une visite guidée des outils. WWF France.

Fuss, C. (1999). Mesures et tests de convergence : une revue de la littérature. Revue de l'OFCE, 69, 221-249.

Estéb, Ph. (2011). Alternative économique, hors-série, poche n° 50. Cité dans Fath, B. (2013), L'intelligence territoriale, une nécessité. L'Harmattan.

Gourmelon, F. (2003). La contribution des SIG à la connaissance et à la gestion de l'environnement littoral [Thèse de doctorat, Université de Bretagne occidentale].

Getis, A. (1991). « Spatial interaction and spatial autocorrelation: A cross-product approach. » Environment and Planning A, 23(9), 1269-1277. https://doi.org/10.1068/a231269

Guillaume, S.-C. (2019). Apprendre le machine learning en une semaine.

Gambier, D. (2009). Y a-t-il une taille optimale pour les territoires ? Journal politique.

Girard, C. (2014). *Histoire et régions, Canada/Québec. Du métropolitanisme au régionalisme*. Chicoutimi, Québec : Les Classiques des sciences sociales.

Hatem, F. (2004a). Investissement international et politiques d'attractivité. Paris, Economica.

Hénin, P.-Y., & Le Pen, Y. (1995). Les épisodes de la convergence européenne. *Revue Économique, 46*(3), 667-677.

Huriot, J.-M. (1977). La formation du paysage économique : Essai sur l'affectation de l'espace. Institut de Mathématiques Économiques de Dijon.

Gutiérrez Ruiz, C. (2012). Les trajectoires de décentralisation en France et au Chili : Une approche comparée des « convergences » et des « réappropriations ». Revue internationale de politique comparée, 19, 115–137. https://doi.org/10.3917/ripc.191.0115

Hallot, E., et al. (2019). Cartographie détaillée de la densité de population : Comparaison de méthodes dasymétriques. Dynamiques régionales, 8, 35–56. https://doi.org/10.3917/dyre.008.0035

Jafari, M., & El Moujaddidi, N. (2016). La régionalisation avancée au Maroc : Perspectives et défis. Revue Organisation et Territoire, 2.

Hoyt, H. (1954). *Homer Hoyt on the development of the economic base concept*. Land Economics, 30(3), 182–192.

Hall, P., & Tewdwr-Jones, M. (2007). Urban and Regional Planning (5e éd.). Routledge.

Haut-Commissariat au Plan. (2020). Annuaire statistique du Maroc.

Haut-Commissariat au Plan. (2020). Note d'information relative aux comptes régionaux de l'année.

Islam, N. (2003). What have we learnt from the convergence debate? Journal of Economic Surveys, 17(3), 309–362.

Janikas, M. V., & Rey, S. J. (2008). Spatial clustering, inequality and income convergence. Annals of Regional Science, 42(4), 933–955.

Krugman, P. (1991). Increasing returns and economic geography. Journal of Political Economy, 99(3), 483–499. https://doi.org/10.1086/261763

Krugman, P. (1991). Geography and trade. MIT Press.

Koraich, A., & Hamzaoui, M. (2018). La décentralisation au Maroc : Perspectives et défis. International Journal of Innovation and Applied Studies, 24(4).

Kostrubiec, B. (1982). Régionalisation socio-économique de la Pologne. *Hommes et Terres du Nord*, 2, 55-63.

Kpodar, K. (2007). *Manuel d'initiation à Stata (version 8)*. CERDI, Clermont-Ferrand.

Koutima Banzouzi, J.-M., et al. (2022). Taille des pays et croissance économique en zone CEMAC. Revue Française d'Économie et de Gestion, 3(12), 163–185.

Kamal, A., & de Miras, C. (Eds.). (2022). *Territoires et création de valeurs : l'État et la dynamique des acteurs au Maroc*. Economia-HEM Research Center.

Léopold, M. (2014). Le développement territorial : Une réponse émergente à la mondialisation. Éditions Charles.

Le Moigne, J.-L. (1977). La théorie du système général. Théorie de la modélisation. Paris : Presses universitaires de France.

Marcou, G., et al. (1999). La régionalisation en Europe. Rapport du Parlement européen.

Mazzega, D., & Musitelli, J. (1981). L'organisation régionale en Italie. *Notes et Études Documentaires*, 4553-4554.

Martin-Amouroux, J.-M., & Criqui, P. (2019). *Les théories économiques face aux réalités des crises environnementales*. Encyclopédie de l'environnement. https://www.encyclopedie-environnement.org/[URL

Ministère de l'Intérieur. (2015). Loi organique n° 111-14 relative à l'organisation des régions, loi organique N° 112-14 relative aux préfectures et provinces, et loi organique n° 113-14 relative aux communes.

Nicole, G. (2004). La région : Une notion géographique. Revue géographique, 34.

Nicolas, C. (2011). Taille des pays et croissance en Europe. Centre d'Économie de la Sorbonne. https://halshs.archives-ouvertes.fr/halshs-00654385

North, D. C. (1955). *Location theory and regional economic growth.* Journal of Political Economy, 63(3), 243–258. https://doi.org/10.1086/257599

OCDE. (2013). Panorama des régions de l'OCDE, Annexe A : Définir les régions et les zones urbaines fonctionnelles.

Ostrom, E. (2007). A diagnostic approach for going beyond panaceas. *Proceedings of the National Academy of Sciences*, 104(39), 15181–15187. https://doi.org/10.1073/pnas.0702288104

Organisation mondiale du commerce. (2010). *Sur le commerce mondial des ressources naturelles.*

Porter, M. E. (1990). The Competitive Advantage of Nations. Free Press.

Pearce, D. W., Markandya, A., & Barbier, E. B. (1989). *Blueprint for a Green Economy*. Earthscan.

Piercy, P. (1997). *La France : le fait régional*. Hachette Supérieur.

Patrizia, I. (2007). Actes du séminaire sur l'attractivité des territoires : Regards croisés.

Quah, D. T. (2001). Searching for prosperity: À comment. Carnegie-Rochester Conference Series on Public Policy, 55, 305–319.

Reynard, R., & Vialette, P. (2018). Les dynamiques de la qualité de vie dans les territoires. Série des documents de travail de la Direction de la Diffusion et de l'Action Régionale, Institut National de la Statistique et des Études Économiques, France.

Romain, T. (2023). Introduction au Deep Learning (notes de cours), p. 15.

Pecqueur, B. (2000). *Le développement local : pour une économie des territoires*. Paris : Syros, collection « Alternatives économiques ».

Rosenblatt, F. (1958). The Perceptron: A probabilistic model for information storage and organization in the brain. Psychological Review, 65(6), 386–408. https://doi.org/10.1037/h0042519

Richardson, H. W. (1973). *Regional growth theory*. New York, NY: John Wiley & Sons.

Shalev-Shwartz, S., & Ben-David, S. (2014). Understanding Machine Learning: From Theory to Algorithms. Cambridge University Press.

Storper, M. (1997). The Regional World: Territorial Development in a Global Economy. Guilford Press.

Solow, R. M. (1956). A contribution to the theory of economic growth. *The Quarterly Journal of Economics, 70*(1), 65–94. https://doi.org/10.2307/1884513

Saint-Cirgue, G. (2019). *Apprendre le machine learning en une semaine*. Independently published.

Siroën, J. M. (2002). Globalisation et taille optimale des nations. Revue française d'économie, 17(2), 69-100.

Swan, T. W. (1956). *Economic growth and capital accumulation*. The Economic Record, *32*(2), 334–361. https://doi.org/10.1111/j.1475-4932.1956.tb00434.x

Scohier, T. (2019). L'écologie sociale de Murray Bookchin. *Politique*. https://www.revuepolitique.be/lecologie-sociale-de-murry-bookchin/

Samuel, A. L. (1959). Some studies in machine learning using the game of checkers. *IBM Journal of Research and Development, 3*(3), 210–229.

Williamson, J. G. (1965). Regional inequality and the process of national development: À description of patterns. Economic Development and Cultural Change, 13, 3–47. https://doi.org/10.1086/450136

Shalev-Shwartz, S., & Ben-David, S. (2014). *Understanding machine learning: From theory to algorithms*. Cambridge University Press.

Tiebout, C. M. (1956). A pure theory of local expenditures. Journal of Political Economy, 64(5), 416–424. https://doi.org/10.1086/257839

Tavenard, R. (2023). Introduction au Deep Learning. Récupéré de https://rtavenar.github.io/deep_book/fr/content/fr/intro.html

Sites web et pages en ligne

Positive Workplace. (s.d.). Qu'est-ce que le développement durable ? https://positiveworkplace.fr/quest-ce-que-le-developpement-durable/

Ressources Naturelles. (s.d.). Définition du développement durable. http://www.ressourcesnaturelles.com/definition.html

CNRTL. (s.d.). Définition du mot « région ». https://www.cnrtl.fr/definition/r%C3%A9gion

Baeldung. (s.d.). Learning curve in machine learning. https://www.baeldung.com/cs/learning-curve-ml#:~:text=One%20of%20the%20most%20widely,the%20model%20fits%20new%20data

Institut de Recherche sur l'Enseignement des Mathématiques (IREM). (s.d.). Glossaire de mathématiques. https://publimath.univ-irem.fr/glossaire/BE027.htm

Université de St Andrews. (s.d.). Biographie de Richard Bellman. https://mathshistory.st-andrews.ac.uk/Biographies/Bellman/

Actuia. (2023, 15 novembre). Pourquoi utiliser Keras ? https://www.actuia.com/keras/pourquoi-utiliser-keras/

DataScientest. (2023, 6 novembre). Le perceptron : définition et fonctionnement. https://datascientest.com/perceptron

Agence Nationale des Eaux et Forêts. (s.d.). Forêts en chiffres. http://www.eauxetforets.gov.ma/ForetsMarocaines/ForetsChiffres/Pages/Forets-En-Chiffres.aspx
http://www.eauxetforets.gov.ma/ForetsMarocaines/ForetsChiffres/Pages/Forets-En-Chiffres.aspx.

Secrétariat d'État au Plan et à la formation des cadres. (s.d.). Projet de découpage du Royaume en régions économiques (micro-film). http://www.abhatoo.net.ma/content/download/39331/858681/version/1/file/PROJET+DE+DECOUPAGE+DU+ROYAUME+EN+REGIONS+ECONOMIQUES.pdf

TABLE DES MATIÈRES

Structures éditoriales du groupe L'Harmattan

L'Harmattan Italie
Via degli Artisti, 15
10124 Torino
harmattan.italia@gmail.com

L'Harmattan Hongrie
Kossuth l. u. 14-16.
1053 Budapest
harmattan@harmattan.hu

L'Harmattan Sénégal
10 VDN SICAP AMITIE 3
BP 45034 Dakar-Fann
direction@senharmattan.com

L'Harmattan Cameroun
Tsinga/Derrière polyclinique FECAFOOT
BP 11486 Yaoundé
Jacques.koukam@harmattan.fr

L'Harmattan Burkina Faso
Villa 281, secteur 23 623, rue 14.32
Ouagadougou
zagbie@outlook.fr

L'Harmattan Guinée
Almamya, rue KA 028 OKB Agency
BP 3470 Conakry
harmattanguinee@yahoo.fr

L'Harmattan RDC
185, avenue Nyangwe
Commune de Lingwala – Kinshasa
matangilamusadila@yahoo.fr

L'Harmattan Congo
219, avenue Nelson Mandela
BP 2874 Brazzaville
deunovmikhael@gmail.com

L'Harmattan Mali
Immeuble Mgr Jean Marie Cissé
Aci Hamadallaye
BP 145 Bamako
syllaka@yahoo.fr

L'Harmattan Togo
Djidjole – Maison Amela
face EPP BATOME
02 BP 20680 Lomé
didieramela11@gmail.com

L'Harmattan Côte d'Ivoire
Résidence Karl – Cité des Arts
Abidjan-Cocody
03 BP 1588 Abidjan
harmattan.ivoire@gmail.com

L'Harmattan Bénin
Rue 604, (Immeuble à l'entrée
de la rue UCAO- Cite de Saint-Jean)
Cotonou
stepcorpus@gmail.com

Nos librairies en France

Librairie internationale
16, rue des Écoles
75005 Paris
librairie.internationale@harmattan.fr
01 40 46 79 11
www.librairieharmattan.com

Librairie des savoirs
21, rue des Écoles
75005 Paris
librairie.sh@harmattan.fr
01 46 34 13 71
www.librairieharmattansh.com

www.ingramcontent.com/pod-product-compliance
Lightning Source LLC
LaVergne TN
LVHW011016061026
849535LV00006B/1905